Foto: Hans Günter Contzen

Luis Sepúlveda, geboren 1949 in Nordchile, ging nach politischem Engagement in der Studenten- und Gewerkschaftsbewegung ins Exil nach Ecuador, gründete Theatergruppen in Peru, Ecuador und Kolumbien, arbeitete als Journalist. Er lebt heute in Spanien. Luis Sepúlveda schreibt Romane, Erzählungen, Theaterstücke, Hörspiele und Essays. Sein Werk wurde mit mehreren literarischen Preisen ausgezeichnet.

Foto: Burkhard Hilgenstock

Sabine Wilharm, geboren 1954, studierte Illustration an der Fachhochschule für Gestaltung in Hamburg und arbeitet seit 1976 als freie Illustratorin für Zeitschriften- und Buchverlage. Für die Fischer Schatzinsel hat sie u. a. auch ›Ein Haufen Ärger‹, ›Mops und Molly Mendelssohn‹ und ›Weihnachtsmänner küsst man nicht‹ von Sabine Ludwig und die Bilderbücher ›Ein Huhn, ein Ei und viel Geschrei‹ von Mario Giordano (gebunden) und ›Die Krähen von Pearblossom‹ von Aldous Huxley (gebunden) illustriert.

Wie Kater Zorbas der kleinen Möwe das Fliegen beibrachte. Kengah, die Silbermöwe, ist verzweifelt. Ihr Gefieder ist ölverschmiert. Sie wird sterben müssen. Mit allerletzter Kraft gelingt es ihr, elbeinwärts zu fliegen und auf dem Balkon eines Hauses im Hamburger Hafenviertel zu landen. Dort trifft sie auf Zorbas, einen großen schwarzen dicken Kater. Kengah bittet den großherzigen Kater um drei Dinge: das Ei, das sie noch vor ihrem Tod legen wird, nicht aufzufressen, sich darum zu kümmern, bis das Möwenküken geschlüpft ist, und der kleinen Möwe das Fliegen beizubringen. Zorbas gibt Kengah sein Ehrenwort und macht sich eilig auf den Weg, um Hilfe zu holen. Als er mit seinen Hafenkatzenfreunden zurückkommt, ist Kengah bereits tot. Aber sie hat ein Ei hinterlassen.
Versprechen muss man halten, so lautet der Ehrenkodex der Hamburger Hafenkatzen. Also »brütet« Zorbas das Ei aus. Das Möwenküken schlüpft, wächst schnell heran, wird flügge und soll nun fliegen lernen. Doch die gutmütigen Katzen merken, dass sie nicht imstande sind, das letzte Versprechen einzulösen. Sie beschließen, sich Rat bei den Menschen zu holen. Die Wahl fällt auf den Dichter, der, so Zorbas, zwar nicht mit Flügeln, wohl aber mit seinen Worten fliegen kann.

KATER ZORBAS

Luis Sepúlveda

Wie Kater Zorbas der kleinen Möwe das Fliegen beibrachte

Aus dem Spanischen von Willi Zurbrüggen
Mit Bildern von Sabine Wilharm

Fischer Taschenbuch Verlag

Fischer Schatzinsel
www.fischerschatzinsel.de

Veröffentlicht im Fischer Taschenbuch Verlag,
einem Unternehmen der S. Fischer Verlag GmbH,
Frankfurt am Main, Dezember 2009

Die spanische Originalausgabe erschien 1996 unter dem Titel
›Historia de una gaviota y del gato que le enseñó a volar‹
bei Tusquets Editores, Barcelona

Gesamtherstellung: CPI – Clausen & Bosse, Leck
Printed in Germany
ISBN 978-3-596-80919-6

Nach den Regeln der neuen Rechtschreibung

Für meine Söhne Sebastián, Max und León,
der besten Besatzung meiner Träume;
den Hamburger Hafen, denn dort gingen sie an Bord;
und den Kater Zorbas natürlich

SCHLAUMEIER

Erster Teil

Kapitel 1: Nordsee

»Sardinenbank backbord!«, verkündete die Führungsmöwe, und der Möwenschwarm vom Leuchtturm Roter Sand nahm die Nachricht mit erleichtertem Krächzen zur Kenntnis. Seit sechs Stunden flogen sie nämlich jetzt schon ohne Unterbrechung. Zwar hatten die Lotsenmöwen sie durch warme Luftströmungen geführt, die das Schweben über dem Ozean zu einem Vergnügen machten, aber nun hatten die Möwen doch das Gefühl, sich stärken zu müssen, und was kam da gelegener als eine ordentliche Sardinenmahlzeit.

Sie flogen über der Elbe, dort, wo sie in die Nordsee mündet. Unter sich sahen sie die Schiffe, eines hinter dem anderen, wie geduldige, wohlerzogene Wassertiere in der Flussmündung liegen und darauf warten, dass sie an die Reihe kamen, ins offene Meer auszulaufen und Kurs auf die Häfen dieser Welt zu nehmen.

Kengah, eine Möwe mit silbrigem Gefieder, schaute sich am liebsten die Flaggen der Schiffe an, denn sie wusste, dass jede Flagge eine eigene Art von Sprache darstellte, was bedeutete, dass man dieselben Dinge mit verschiedenen Wörtern benannte.

»Wie schwer es die Menschen doch haben! Wir Möwen dagegen krächzen überall auf der Welt gleich«, krächzte Kengah der neben ihr fliegenden Möwe zu.

»So ist es«, krächzte die Angesprochene zurück. »Erstaunlich ist nur, dass sie sich manchmal sogar verstehen.«

Jenseits der Wasserlinie zeigte sich die Landschaft in einem satten Grün. Sie sah aus wie eine einzige große Wiese, auf der man Schafherden erkennen konnte, die im Schutz der Deiche und der sich gemächlich drehenden Propeller der großen Windmühlen grasten.

Der Möwenschwarm vom Leuchtturm Roter Sand folgte den Anweisungen der Lotsenmöwen und nutzte eine kalte Luftströmung, um sich kopfüber in die Sardinenbank zu stürzen. Hundertzwanzig gefiederte Leiber stießen wie Pfeile durch die Wasseroberfläche, und als sie wieder auftauchten, hielt jede Möwe eine Sardine im Schnabel.

Lecker waren die Sardinen. Lecker und dick. Genau das, was die Möwen brauchten, um wieder zu Kräften zu kommen, bevor sie nach Den Helder weiterflogen, wo sich der Schwarm von den Ostfriesischen Inseln zu ihnen gesellen sollte.

Der Flugplan sah vor, danach zum Ärmelkanal weiterzufliegen, wo sie von den Möwenschwärmen der Seinemündung und der Bucht von Saint-Malo empfangen würden, mit denen sie zusammen weiterflögen, bis sie den Himmel über der Biskaya erreichten.
An die tausend Möwen wären sie dann und sie sähen aus wie eine schnelle Silberwolke, die sich ständig vergrößerte, wenn die Schwärme von Belle-Ile und Oléron, von den Kaps Machichaco, Apio und Peñas zu ihnen stießen. Und wenn alle vom Gesetz des Meeres und der Winde zugelassenen Möwen über der Biskaya flögen, dann könnte die große Versammlung der Möwen der Ostsee, der Nordsee und des Atlantischen Ozeans beginnen.
Das würde ein schönes Treffen, dachte Kengah, während sie sich über ihre dritte Sardine hermachte. Wie jedes Jahr würden sie spannende Geschichten zu hören bekommen, vor allem von den Möwen von Kap Peñas, denn die waren unermüdliche Reisende und flogen manchmal bis zu den Kanarischen oder den Kapverdischen Inseln.
Wie die anderen Weibchen würde auch sie sich in der Biskaya ausgiebige Mahlzeiten von Sardinen und Calamares gönnen, derweil die Männchen an einer steilen Felswand die Nester bauten.

Dort würden sie dann ihre Eier hineinlegen, sie sicher vor jeder Gefahr ausbrüten, und wenn den kleinen Möwen die ersten haltbaren Federn wüchsen, begänne der schönste Teil der diesjährigen Reise: Dann würden sie ihren Kleinen unter dem Himmel der Biskaya das Fliegen beibringen.

Kengah tauchte den Kopf unter Wasser, um ihre vierte Sardine zu packen, und hörte deshalb das Alarmkrächzen nicht, das durch die Luft gellte:

»Gefahr von steuerbord! Rette sich, wer kann!«

Als Kengah den Kopf aus dem Wasser hob, sah sie sich ohne ihre Gefährten allein inmitten des weiten Ozeans.

Kapitel 2: Ein großer schwarzer dicker Kater

»Es tut mir furchtbar leid, dich allein lassen zu müssen«, sagte der Junge und streichelte dem großen schwarzen dicken Kater über den Rücken.

Dann stopfte er weiter Sachen in seinen Rucksack. Er nahm eine Kassette der Gruppe ›Pur‹, die eine seiner Lieblingsbands war, schob sie hinein, zögerte, nahm sie wieder heraus und war sich unsicher, ob er die Kassette lieber einstecken oder ob er sie im Regal lassen sollte. Es war schwer zu entscheiden, was man in die Ferien mitnehmen sollte und was nicht.

Der große schwarze dicke Kater saß auf seinem Lieblingsplatz, dem Fensterbrett, und schaute dem Jungen aufmerksam zu.

»Hab ich meine Schwimmbrille schon eingepackt? Zorbas, hast du meine Schwimmbrille gesehen? Nein, sicher nicht, weil du ja wasserscheu bist. Du weißt gar nicht, was dir entgeht. Schwimmen ist eine der lustigsten Sportarten, die es gibt«, sagte der Junge und fragte dann: »Ein paar Kekse?«, wobei er zu der Schachtel mit den Katzenkeksen griff.

Er gab ihm eine mehr als großzügig bemessene Portion, und der große schwarze dicke Kater kaute langsam, um den Genuss in die Länge zu ziehen. Hm, ausgesprochen leckere knusprige Kekse, sogar mit Fischgeschmack!

Er ist ein toller Bursche, dachte der Kater und kaute mit vollem Mund. Was heißt, ein toller Bursche, verbesserte er sich und schluckte den Happen hinunter, er ist der tollste Bursche überhaupt!

Zorbas, der große schwarze dicke Kater, hatte gute Gründe, so über diesen Jungen zu denken, der einen Teil seines Taschengeldes für die köstlichen Katzenkekse

ausgab, der sein Katzenklo sauber hielt und der ihm allerlei Wissenswertes beibrachte, indem er sich mit ihm über wichtige Dinge unterhielt.

Oft saßen sie stundenlang auf dem Balkon und schauten sich das endlose Gewimmel im Hamburger Hafen an; und dann sagte der Junge zum Beispiel:

»Siehst du das Schiff da, Zorbas? Weißt du, woher es kommt? Aus Liberia, das ist ein afrikanisches Land, hochinteressant, weil es von Leuten gegründet worden ist, die früher Sklaven waren. Wenn ich groß bin, werde ich Kapitän von einem großen Segelschiff und fahre nach Liberia. Und du kommst mit mir, Zorbas. Du wirst ein guter Schiffskater, da bin ich mir sicher.«

Wie alle Jungen, die in einer Hafenstadt leben, träumte auch dieser Junge von Reisen in ferne Länder. Der große schwarze dicke Kater lauschte ihm schnurrend und stellte sich vor, wie auch er an Bord eines Segelschiffes die Meere durchpflügte.

Ja, der große schwarze dicke Kater empfand eine große

Zuneigung zu diesem Jungen und er vergaß auch nie, dass er ihm sein Leben verdankte.

In dieser Schuld stand er bei dem Jungen seit jenem Tag, als er aus dem Katzenkorb ausgebüchst war, in dem er mit seinen sieben Geschwistern wohnte.

Die Milch seiner Mutter war wohl warm und süß, aber er wollte unbedingt einmal einen jener Fischköpfe probieren, die die Marktleute den großen Katzen zu fressen gaben. Er wollte ihn nicht ganz allein aufessen, nein; er hatte vor, ihn zu ihrem Katzenkorb zu tragen und dort zu seinen Geschwistern zu miauen:

»Jetzt ist Schluss damit, an unserer armen Mutter herumzunuckeln! Seht ihr nicht, wie dünn sie schon geworden ist? Esst Fisch, das ist für Hafenkatzen genau das Richtige.«

Nur wenige Tage bevor Zorbas aus seinem Korb schlüpfte, hatte die Mutter noch sehr ernst zu ihm miaut:

»Du bist flink und nicht auf den Kopf gefallen, das ist gut, aber du musst immer schön vorsichtig sein und darfst den Katzenkorb nicht verlassen. Morgen oder übermorgen kommen die Menschen und entscheiden, was aus dir und deinen Geschwistern wird. Sie werden euch sicher nette Namen geben und dafür sorgen, dass ihr immer zu essen habt. Es ist ein großes Glück, dass ihr in einem Hafen geboren seid, denn in den Häfen sorgt man gut für Katzen und beschützt sie. Das Einzige, was die Menschen von uns erwarten, ist, dass wir ihnen die Ratten vom Hals halten. Ja, mein Sohn, eine Hafenkatze zu sein ist ein großes Glück, aber du musst dich vorsehen, denn etwas hast du an dir, das dich unglücklich machen könnte. Wenn du deine Geschwister anschaust, siehst du, dass sie alle gestreift sind wie Tiger. Du dagegen bist ganz und gar schwarz, bis auf diesen kleinen weißen Fleck unter dem Kinn. Es gibt Menschen, die glauben, dass schwarze Katzen Unglück bringen; darum, mein Sohn, verlasse niemals den Korb.«

Doch Zorbas, der damals noch aussah wie ein kleines rundes Stück Kohle, gehorchte nicht und krabbelte aus dem Korb. Er wollte einen von diesen Fischköpfen probieren. Und er wollte ein bisschen was von der Welt sehen.

Weit kam er nicht. Als er mit steil aufgerichtetem und bebendem Schwanz zu einem der Fischstände marschierte, kam er an einem großen Vogel vorbei, der mit seitwärts geneigtem Kopf ein Nickerchen hielt. Es war ein hässlicher Vogel mit einem gewaltigen Hängesack unter dem Schnabel. Plötzlich fühlte der kleine Kater, wie ihm die Erde unter den Füßen entschwand, und ohne zu wissen, wie ihm geschah, schlug er in der Luft Purzelbäume. Er erinnerte sich an eine der ersten Lektionen, die er von seiner Mutter gelernt hatte, und hielt nach einem Platz Ausschau, wo er auf allen seinen vier Pfoten landen

konnte, doch unter sich sah er nur den Vogel mit weit aufgerissenem Schnabel. Zorbas fiel in den Hängesack, in dem es pottdüster war und fürchterlich stank.
»Lass mich raus! Lass mich raus!«, miaute er verzweifelt.
»Mann, du kannst ja sprechen. Was bist du denn für ein Viech?«, krächzte der Vogel, ohne seinen Schnabel zu öffnen.
»Lass mich raus oder ich kratz dich«, miaute Zorbas drohend.
»Ich nehme an, du bist ein Frosch. Bist du ein Frosch?«, krächzte der Vogel mit immer noch geschlossenem Schnabel.
»Ich ersticke, du blöder Vogel!«, miaute der kleine Kater.
»Ja, du bist ein Frosch. Ein schwarzer Frosch. Äußerst merkwürdig«, krächzte der Vogel.
»Ich bin ein Kater und ich bin stocksauer! Lass mich sofort raus oder es wird dir leid tun!«, miaute Zorbas und suchte in dem dunklen Schnabelsack nach etwas, in das er seine Krallen schlagen konnte.
»Meinst du, ich könnte keinen Kater von einem Frosch unterscheiden? Kater sind haarig und schnell und riechen nach Pantoffeln. Du bist ein Frosch. Einmal habe ich ein paar Frösche gefressen und die schmeckten nicht schlecht, aber die waren grün. Sag mal, du bist doch kein giftiger Frosch oder?«, krächzte der Vogel besorgt.

»Doch, ich bin ein giftiger Frosch, und außerdem bringe ich Unglück!«

»Na, so was! Einmal habe ich einen giftigen Seeigel gegessen und mir ist nichts passiert. Mhh, was mache ich denn jetzt? Schlucke ich dich oder spucke ich dich aus?«, grübelte der Vogel. Weiter krächzte er aber nichts, sondern schüttelte sich, schlug mit den Flügeln und öffnete schließlich seinen Schnabel.

Der kleine Zorbas war völlig zugesabbert. Er streckte den Kopf nach draußen und sprang dann schnell auf die Straße. Da sah er den Jungen, der den Vogel am Nacken gepackt hielt und ihn hin und her schüttelte.

»Du bist wohl blind, blöder Pelikan! Komm her, mein Kätzchen. Beinah wärst du im Magen dieses hirnlosen Vogels gelandet«, sagte der Junge und hob Zorbas auf seinen Arm.

Damit hatte ihre Freundschaft begonnen, die jetzt schon fünf Jahre anhielt.

Der Kuss des Jungen auf seine Stirn holte Zorbas in die Wirklichkeit zurück. Er sah den Jungen sich den Rucksack über die Schulter werfen und zur Tür gehen und von dort hörte er seine letzten Abschiedsworte:

»Wir sehen uns Ende der Ferien wieder, Zorbas. Ich werde jeden Tag an dich denken, das verspreche ich dir.«

»Tschüss, Zorbas! Tschüss, Dicker!«, riefen die beiden kleineren Brüder des Jungen.

Der große schwarze dicke Kater hörte, wie die Tür abgeschlossen wurde, und lief zum Fenster, das auf die Straße ging, um einen letzten Blick auf seine Adoptivfamilie zu werfen.

Der große schwarze dicke Kater seufzte zufrieden. Sechs Wochen lang würde er unumschränkter Herr der Wohnung sein. Ein Freund der Familie würde jeden Tag kommen, um ihm eine Dose Futter aufzumachen und die Streu in seinem Katzenklo zu erneuern. Sechs Wochen, um in den Sesseln und im Bett herumzulungern oder auf den Balkon hinauszuspazieren, aufs Dach zu klettern, von dort auf einen Ast des alten Kastanienbaums zu springen und am Baumstamm in den Innenhof hinabzuklettern, wo er sich gewöhnlich mit den anderen Katzen des Viertels traf. Langweilen würde er sich nicht. Nein, ganz bestimmt nicht.

So dachte Zorbas, der große schwarze dicke Kater, und dabei ahnte er nicht einmal, was in den nächsten Stunden auf ihn zukommen würde.

Kapitel 3: Hamburg in Sicht

Kengah spreizte die Flügel, um loszufliegen, doch die schwere Welle war schneller und schlug über der Möwe zusammen. Als sie wieder zum Vorschein kam, war das Tageslicht verschwunden, und nachdem sie mit aller Kraft ihren Kopf geschüttelt hatte, begriff sie, dass der Fluch der Meere ihr den Blick verfinsterte.

Kengah, die Möwe mit dem silbernen Gefieder, tauchte den Kopf mehrmals unter Wasser, bis ein paar Lichtstrahlen an ihre mit Öl verschmierten Pupillen drangen. Die schmierige Masse, die schwarze Pest, verklebte ihr die Flügel, und so begann Kengah heftig mit den Füßen zu paddeln, um der schwarzen Welle zu entrinnen.

Alle Muskeln waren vor Anstrengung ganz verkrampft, als sie schließlich den Rand des Ölflecks erreichte und in sauberes Wasser gelangte. Als sie so oft geblinzelt und den Kopf ins Wasser getaucht hatte, dass sie wieder sehen konnte, blickte sie zum Himmel hinauf; doch da

sah sie nur ein paar Wolken, die zwischen dem Meer und der Unendlichkeit des Himmelsgewölbes dahinglitten. Ihre Gefährten vom Schwarm des Leuchtturms Roter Sand waren sicher schon weit fort, sehr weit fort. So wollte es das Gesetz. Sie selbst hatte schon andere Möwen gesehen, die von den tödlichen schwarzen Wellen überrascht worden waren; und trotz ihres Wunsches, zu ihnen hinunterzufliegen und ihnen Hilfe anzubieten, die ebenso nutzlos wie unmöglich gewesen wäre, hatte sie ihren Flug fortgesetzt und damit dem Gesetz gehorcht, welches verbot, dem Tod eines Gefährten beizuwohnen.

Mit unbeweglichen, am Körper klebenden Flügeln waren die Möwen leichte Beute für große Fische, oder sie starben langsam, erstickten an dem Öl, das durch ihr Gefieder sickerte und ihnen die Poren verschloss.

Dies war nun das Schicksal, das sie erwartete, und sie

hoffte, möglichst schnell im Rachen eines großen Fisches zu verschwinden.

Der schwarze Fleck. Die schwarze Pest. Während sie ihrem Schicksal entgegensah, verwünschte Kengah die Menschen.

»Nicht alle, nein. Ich darf nicht ungerecht sein«, krächzte sie schwach.

Oft hatte sie von oben gesehen, wie die großen Öltanker an nebligen Tagen aufs offene Meer hinausfuhren, um ihre Tanks auszuwaschen. Sie leiteten dann Tausende von Litern einer dickflüssigen stinkenden Substanz ins Meer, die von den Wellen davongetragen wurde. Manchmal hatte sie aber auch gesehen, wie kleine Boote sich diesen großen Schiffen näherten und sie daran hinderten, ihre Öltanks auszuleeren. Leider kamen diese Boote, die mit den Farben des Regenbogens bemalt waren, nicht immer rechtzeitig, um das Vergiften der Meere zu verhindern.

Kengah trieb die längsten Stunden ihres Lebens auf dem Wasser und fragte sich voller Schrecken, ob vielleicht der schlimmste aller Tode auf sie wartete; schlimmer, als von einem Fisch gefressen zu werden, schlimmer noch als die Angst vor dem Ersticken war es, vor Hunger zu sterben.

Bei dem Gedanken an einen langsamen Tod schüttelte sie sich voller Verzweiflung und war erstaunt, als sie fest-

stellte, dass ihre Flügel gar nicht am Körper festklebten. Ihre Federn waren zwar von dieser dickflüssigen Schmiere verklebt, aber sie konnte ihre Flügel noch ausbreiten.

»Vielleicht habe ich doch noch eine Chance, hier herauszukommen. Und wer weiß, wenn ich hoch genug fliege, ganz ganz hoch, schmilzt das Öl vielleicht in der Sonne«, krächzte Kengah.

Sie erinnerte sich nämlich an eine Geschichte, die ihr einmal eine alte Möwe von den Ostfriesischen Inseln erzählt hatte. Da ging es um einen Menschen namens Ikarus, der sich seinen Traum vom Fliegen verwirk-

lichte, indem er Adlerfedern mit Wachs zu Flügeln zusammenklebte und sich damit in die Luft erhob. Immer höher war er geflogen, der Sonne entgegen, bis es so heiß wurde, dass das Wachs an den Flügeln schmolz und Ikarus abstürzte.

Kengah flatterte so heftig sie konnte mit den Flügeln, zog die Beine an, erhob sich einige Zentimeter in die Luft und landete dann bäuchlings wieder im Wasser. Bevor sie es noch einmal versuchte, tauchte sie ganz unter und bewegte unter Wasser ihre Flügel. Beim nächsten Mal kam sie höher als einen Meter, bevor sie wieder hinunterfiel. Das Öl hatte ihr die Schwanzfedern verklebt, so dass sie das Auffliegen nicht richtig aussteuern konnte. Noch einmal tauchte sie unter und zerrte mit dem Schnabel an der Schmiere, die ihre Schwanzfedern bedeckte. Sie ertrug den Schmerz von ausgerissenen Federn, bis sie schließlich spürte, dass ihr hinteres Gefieder nicht mehr ganz so schmutzig war.

Beim nächsten Versuch kam sie hoch. Sie flatterte verzweifelt mit den Flügeln, denn der schwere Ölschmutz in ihrem Gefieder erlaubte ihr nicht, einfach mit ausgebreiteten Schwingen durch die Luft zu segeln. Wenn sie

nur einmal aufhörte, mit den Flügeln zu schlagen, würde sie abstürzen. Zum Glück war Kengah eine junge kräftige Möwe, und ihre Muskeln gehorchten ihr. Sie gewann an Höhe. Unablässig flatternd, schaute sie nach unten und sah die Küste so eben noch als eine weiße Linie unter sich. Sie sah auch ein paar Schiffe, die sich wie winzige Gegenstände auf einem blauen Tuch bewegten. Sie flog noch höher, doch die erhoffte Wirkung der Sonne blieb aus. Entweder waren die Sonnenstrahlen nicht warm genug oder das Öl war zu dick. Kengah merkte, dass ihre Kräfte nicht allzu lange reichen würden, und so flog sie auf der Suche nach einem geeigneten Landeplatz landeinwärts, wobei sie der geschlängelten grünen Linie der Elbe folgte. Ihr Flügelschlag wurde schwerer und langsamer. Sie verlor an Kraft. Sie flog schon nicht mehr so hoch. In einem verzweifelten Versuch, an Höhe zu gewinnen, schloss sie die Augen und schlug ihre Flügel mit den letzten Kraftreserven. Sie wusste nicht, wie lange sie die Augen geschlossen gehalten hatte, aber als sie sie aufschlug, flog sie über einen Kirchturm mit einer goldenen Wetterfahne.

»Der Michel«, krächzte sie, als sie den Turm der Hamburger St. Michaeliskirche erkannte.

Ihr Flügel weigerten sich weiterzufliegen.

Kapitel 4: Das Ende eines Fluges

Der große schwarze dicke Kater lag auf dem Balkon in der Sonne, schnurrte behaglich und dachte daran, wie gut es ihm doch ging, so mit angezogenen Pfoten und ausgestrecktem Schwanz dazuliegen und sich die warmen Sonnenstrahlen auf den Bauch scheinen zu lassen. Als er sich gemächlich herumwälzte, um den Rücken in die Sonne zu halten, vernahm er das Surren eines fliegenden Gegenstandes, den er nicht einordnen konnte und der sich mit großer Geschwindigkeit näherte. Alarmiert sprang er auf die Beine und konnte sich gerade noch zur Seite werfen, um der Möwe auszuweichen, die auf den Balkon klatschte.
Es war eine sehr schmutzige Möwe. Sie war über und über mit einer stinkenden schwarzen Brühe bedeckt.
Zorbas näherte sich ihr, und die Möwe versuchte mit schleifenden Flügeln auf die Beine zu kommen.

»Das war aber keine sehr elegante Landung«, miaute der Kater.

»Tut mir leid. Ich hab's nicht besser hingekriegt«, krächzte die Möwe.

»Hör mal, du siehst aber schlimm aus. Was hast du denn da in den Federn kleben? Und wie du stinkst!«, miaute Zorbas.

»Ich bin in eine schwarze Welle geraten. Die schwarze Pest. Der Fluch der Meere. Ich muss sterben«, krächzte die Möwe jammervoll.

»Sterben? Sag nicht so was. Du bist erschöpft und du bist schmutzig. Das ist alles. Warum fliegst du nicht zum Zoo? Das ist nicht weit, und dort gibt es Tierärzte, die dir helfen könnten«, miaute Zorbas.

»Ich kann nicht. Dies hier war mein letzter Flug«, krächzte die Möwe fast unhörbar und schloss die Augen.

»Stirb bloß nicht! Ruh dich ein bisschen aus, dann kommst du schon wieder auf die Beine, du wirst sehen. Hast du Hunger? Ich hole dir was zu essen, aber stirb bloß nicht«, miaute Zorbas und trat noch näher an die verendende Möwe heran.

Er überwand seinen Ekel und leckte ihr den Kopf. Die schwarze Schmiere, die den Vogel bedeckte, schmeckte auch noch abscheulich. Als er der Möwe mit seiner Zunge über den Hals fuhr, merkte er, dass ihre Atmung immer schwächer wurde.

»Hör mal, meine Liebe, ich will dir gerne helfen, aber ich weiß nicht, wie. Sieh zu, dass du dich ein bisschen erholst, während ich mich mal umhöre, was man mit einer kranken Möwe macht«, miaute Zorbas und kletterte aufs Dach.

Er war schon auf dem Weg zum Kastanienbaum, als er hörte, wie die Möwe ihn rief.

Erleichtert kehrte er um. »Möchtest du etwas von meinem Essen?«, miaute er hoffnungsvoll.

»Ich will ein Ei legen. Mit meinen letzten Kräften will ich noch ein Ei legen. Mein lieber Freund, ich sehe, dass du ein guter Kater bist und eine edle Gesinnung hast. Darum möchte ich dich bitten, mir drei Versprechen zu geben. Willst du das tun?«, krächzte die Möwe, strampelte dabei ungeschickt mit den Füßen und versuchte vergeblich, auf die Beine zu kommen.

Zorbas dachte, die Möwe spreche im Fieber, und zu

einem Vogel in einem solchen Zustand konnte man nur großherzig sein.
»Ich verspreche dir, was du willst. Aber ruh dich jetzt aus«, miaute der Kater voller Mitleid.
»Zum Ausruhen habe ich keine Zeit. Versprich mir, nicht das Ei aufzufressen«, krächzte die Möwe und schlug die Augen auf.
»Ich verspreche dir, nicht das Ei aufzufressen«, miaute Zorbas.
»Versprich mir, es zu hüten, bis das Küken ausschlüpft«, krächzte die Möwe und hob ihren Kopf.
»Ich verspreche dir, es zu hüten, bis das Küken ausschlüpft«, miaute Zorbas.
»Und versprich mir, ihm das Fliegen beizubringen«, krächzte der Vogel und blickte dem Kater fest in die Augen.
Da dachte Zorbas, dieser Unglücksvogel spreche nicht nur im Fieber, sondern sei auch noch komplett verrückt geworden.
»Ich verspreche dir, ihm das Fliegen beizubringen. Und jetzt ruh dich aus, ich hole schnell Hilfe«, miaute Zorbas und sprang mit einem Satz auf das Dach.
Kengah schaute zum Himmel, dankte allen guten Winden, die sie begleitet hatten, und gerade als sie ihren letzten Seufzer tat, kullerte ein kleines weißes Ei mit blauen Tupfen unter ihrem öldurchtränkten Gefieder hervor.

Kapitel 5: Auf der Suche nach Rat

Zorbas sauste den Stamm des Kastanienbaums hinunter und rannte pfeilschnell durch den Innenhof, wobei er aufpasste, nicht von streunenden Hunden gesehen zu werden, lief bis zum Gehweg, versicherte sich, dass kein Auto kam, überquerte die Straße und rannte weiter zum ›Cuneo‹, einem italienischen Restaurant am Hafen.

Zwei Kater, die in einer Mülltonne stöberten, sahen ihn vorbeilaufen.

»Hey, Kumpel, siehst du, was ich sehe? So ein süßes Dickerchen«, miaute einer.

»Klar, Mann. Und wie schwarz der Fettkloß ist! Sieht eigentlich mehr aus wie ein Teerkloß. He, wo willst du hin, du Teerkloß?«, miaute der andere.

Obwohl Zorbas sich große Sorgen um die Möwe machte, war er nicht bereit, die Provokationen dieser beiden Halbstarken durchgehen zu lassen. Also hielt er an, sträubte die Nackenhaare und war mit einem Satz auf der Mülltonne.

Langsam streckte er seine Pfote aus, ließ eine Kralle so lang wie ein Streichholz sehen und hielt sie einem der beiden Großmäuler dicht vor die Nase.

»Na, wie findest du die? Davon habe ich noch neun weitere. Willst du die mal auf deinem Rücken spüren?«, miaute er mit eisiger Stimme.

Der Kater, der die Kralle vor seinen Augen sah, schluckte erst einmal, bevor er eine Antwort fand:

»Nein, nein, Chef. Schöner Tag heute. Finden Sie nicht auch?«, miaute er, den Blick starr auf Zorbas' Kralle gerichtet.

»Und du? Was hast du mir zu sagen?«, miaute Zorbas den anderen an.

»Ich bin auch der Meinung, dass heute ein sehr angenehmer Tag ist, schön zum Spazierengehen, vielleicht ein bisschen kühl.«

Damit war die Angelegenheit erledigt, und Zorbas rannte wieder los, bis er zum Restaurant kam. Drinnen deckten die Kellner gerade die Tische für die Mittagsgäste. Zorbas miaute dreimal und wartete vor der Tür. Wenige Minuten später trat Secretario zu ihm, ein spindeldürrer römischer Kater mit nur zwei Schnurrbarthaaren, an jeder Nasenseite einem.

»Wir bedauern sehr, aber wenn Sie keinen Tisch reserviert haben, können wir leider nichts für Sie tun. Wir sind bis auf den letzten Platz besetzt«, miaute er anstelle einer Begrüßung. Er wollte noch etwas hinzufügen, aber Zorbas stoppte ihn.

»Ich muss mit Colonello miauen. Es ist dringend.«

»Dringend! Immer diese dringenden Fälle in letzter Minute! Ich will sehen, was ich tun kann; aber nur, weil es ein dringender Fall ist«, miaute Secretario und ging ins Restaurant.

Colonello war ein Kater von unbestimmbarem Alter. Manche meinten, er sei so alt wie das Restaurant, das ihn beherbergte, andere behaupteten, er sei noch älter. Sein Alter war aber völlig unwichtig, weil Colonello das merkwürdige Talent besaß, allen, die in Schwierigkeiten waren, mit Rat auszuhelfen; und obwohl er noch nie einen Konflikt beigelegt hatte, waren seine Ratschläge zumindest immer beruhigend. Mit

seinem Alter und seinem Talent war Colonello eine Autorität unter den Hafenkatzen.
Secretario kam zurückgerannt.
»Folge mir. Colonello wird dich ausnahmsweise empfangen«, miaute er.
Zorbas folgte ihm. Unter den Tischen und Stühlen des Restaurants hindurch gelangten sie zur Tür des Weinkellers. Sie sprangen die Stufen einer sehr schmalen Treppe hinab, und unten trafen sie auf Colonello, der mit hoch erhobenem Schwanz einherschritt und die Korken einiger Champagnerflaschen überprüfte.

»Porca miseria! Die Mäuse haben die Korken des besten Champagners im Haus angenagt. Zorbas! Caro amico!«, begrüßte ihn Colonello, der zwischendrin gern auf Italienisch miaute.
»Entschuldige, dass ich dich bei der Arbeit störe, aber ich habe ein großes Problem und brauche deinen Rat«, miaute Zorbas.
»Stets zu Diensten, caro amico. Secretario, serviere meinem amico ein bisschen von der Lasagne al forno, die man uns heute Morgen gebracht hat«, befahl Colonello.
»Aber die haben Sie doch ganz aufgefressen. Nicht ein-

mal daran riechen durfte ich!«, miaute Secretario beleidigt.

Zorbas lehnte dankend ab und sagte, er habe keinen Hunger; dann berichtete er schnell von der Ankunft der unglücklichen Möwe, von dem bedauerlichen Zustand, in dem sie sich befand, und von den drei Versprechen, die er ihr hatte geben müssen. Der alte Kater hörte schweigend zu, strich sich nachdenklich über die langen Schnurrbarthaare und miaute schließlich energisch:

»Porca miseria! Wir müssen der armen Möwe helfen, wieder auf die Flügel zu kommen.«

»Ja, aber wie?«, miaute Zorbas.

»Am besten fragen wir den Schlaumeier«, bemerkte Secretario.

»Genau das wollte ich gerade vorschlagen. Warum musst du mir immer das Miauen von den Lippen nehmen?«, miaute Colonello vorwurfsvoll.

»Ja, eine gute Idee. Ich werde den Schlaumeier aufsuchen«, miaute Zorbas.

»Wir gehen zusammen. Die Probleme einer Hafenkatze sind die Probleme aller Hafenkatzen«, verkündete Colonello feierlich.

Die drei Kater verließen den Weinkeller, durchquerten das Labyrinth der Innenhöfe der Häuser an der Hafenstraße und liefen zum Reich des Schlaumeiers.

Kapitel 6: Ein seltsamer Ort

Der Schlaumeier wohnte an einem Ort, der ziemlich schwer zu beschreiben ist. Auf den ersten Blick konnte es sich sowohl um einen verwahrlosten Laden voll der merkwürdigsten Gegenstände handeln als auch um ein Museum von Kuriositäten, um eine Lagerhalle für völlig unbrauchbare Gerätschaften, um die kunterbunteste

Bibliothek der Welt oder um das Laboratorium irgendeines genialen Erfinders von Dingen, für die man unmöglich einen Namen finden konnte. Aber es war nichts von dem oder besser gesagt, es war viel mehr als das alles.

Der Ort nannte sich Harry's Hafenbasar, und sein Besitzer, Harry, war ein alter Seebär, der fünfzig Jahre lang auf allen sieben Weltmeeren gefahren war und dabei alles gesammelt hatte, was ihm in den Hunderten von Häfen, die er kennengelernt hatte, unter die Finger gekommen war.

Als sich das Alter in seinen Knochen bemerkbar machte, beschloss Harry, das Seemannsleben mit dem eines Matrosen an Land zu vertauschen, und eröffnete den Basar mit all den Dingen, die er im Laufe der Jahre angesammelt hatte. Er mietete ein dreistöckiges Haus in der Hafenstraße, doch selbst das war zu klein für seine ungewöhnliche Sammlung, so dass er das Nachbarhaus, zwei Stockwerke hoch, dazumietete, aber auch das reichte noch nicht. Nachdem er noch ein drittes Haus hinzugemietet hatte, konnte er schließlich alle seine Sachen aufstellen, wobei er allerdings eine sehr eigentümliche Vorstellung von Ordnung an den Tag legte.

In den drei Häusern, die durch Gänge und schmale Stiegen miteinander verbunden waren, gab es ungefähr eine Million Gegenstände, von denen einige hier aufgezählt werden sollen:

7200 Hüte mit weicher Krempe, damit sie einem der Wind nicht vom Kopf weht; 160 Steuerräder von Schiffen, die so oft den Erdball umrundet haben, dass sie davon seekrank geworden sind; 245 Schiffslaternen, die den dichtesten Nebel durchdrungen haben; 12 von den Fäusten zorniger Kapitäne zerbeulte Schiffstelegraphen; 256 Kompasse, die immer noch getreu nach Norden zeigen; 6 Holzelefanten in Lebensgröße; 2 ausgestopfte Giraffen, deren Blick voller Wehmut über die Savanne zu schweifen scheint; 1 ausgestopfter Eisbär mit der ebenfalls ausgestopften Hand eines norwegischen Polarforschers in seinem Magen; 700 Deckenventilatoren, deren Flügel, wenn sie sich drehen, an die kühle abendliche Brise in den Tropen denken lassen; 1200 Hängematten aus Jute, in denen die schönsten Träume wahr werden; 1300 Marionetten aus Sumatra, mit denen nur Liebesgeschichten gespielt worden sind; 123 Diaprojektoren, die Landschaften zeigen, in denen man immer glücklich sein kann; 54 000 Bücher in siebenundvierzig Sprachen; 2 Nachbildungen des Eiffelturms, eine aus einer halben Million Nähnadeln hergestellt und die zweite aus dreihunderttausend Zahnstochern; 3 Kanonen von englischen Seeräuberschiffen; 17 Anker, die man aus den Tiefen der Nordsee geborgen hat; 2000 Gemälde von Sonnenuntergängen; 17 Schreibmaschinen, die berühmten Schriftstellern gehört haben; 128 lange Flanellunterhosen für Männer über zwei Meter;

7 Fracks für Liliputaner; 500 Meerschaumpfeifen; 1 Astrolabium, das unverwandt auf das Kreuz des Südens zeigt; 7 riesige Muscheln, aus denen das ferne Rauschen legendärer Schiffbrüche dringt; 12 Kilometer rote Seide; 2 Deckslukken von Unterseebooten und viele, viele andere Dinge, die man gar nicht alle aufzählen kann.
Um in den Basar hineinzukommen, musste man Eintritt zahlen, und wenn man drinnen war, brauchte man einen guten Orientierungssinn.
Harry hatte zwei Maskottchen: einen Schimpansen namens Matias, der als Kartenverkäufer und Wächter fungierte, der mit dem alten Seemann Dame spielte – sehr schlecht allerdings –, der Bier trank und immerzu versuchte, die Besucher beim Kassieren des Eintrittsgelds übers Ohr zu hauen. Das andere Maskottchen war der

Schlaumeier, ein kleiner magerer grauer Kater, der die meiste Zeit damit beschäftigt war, die Tausende von Büchern zu studieren, die es im Basar gab.

Colonello, Secretario und Zorbas betraten den Basar mit steil aufgerichteten Schwänzen. Sie bedauerten, dass Harry nicht am Kartenschalter saß, denn der Alte hatte immer ein paar nette Worte für sie und hin und wieder sogar ein Stückchen Wurst.

»He, Moment mal, ihr Flohsäcke«, kreischte Matias, »ihr habt keinen Eintritt bezahlt!«

»Seit wann zahlen Katzen Eintritt?«, miaute Secretario. »An der Tür steht: Eintritt zwei Euro. Und nirgendwo

steht, dass Katzen gratis hineinkommen. Acht Euro oder ihr verschwindet«, kreischte der Schimpanse unnachgiebig.

»Sehr verehrter Herr Affe, ich fürchte, Mathematik ist nicht Ihre Stärke«, miaute Secretario.

»Genau das wollte ich sagen. Du nimmst mir schon wieder das Miauen aus dem Mund«, beschwerte sich Colonello.

»Bla, bla, bla! Entweder ihr zahlt oder ihr verschwindet«, schrie Matias.

Zorbas sprang in das Kartenhäuschen und blickte dem Schimpansen starr in die Augen. Er schaute ihn durchdringend an, bis Matias zu blinzeln und seine Augen zu tränen begannen.

»Nun ja, es sind wohl eher sechs Euro. Einen Fehler macht jeder mal«, kreischte er kleinlaut.

Zorbas ließ ihn nicht aus den Augen, während er eine Kralle seiner rechten Pfote ausstreckte.

»Na, wie gefällt dir die? Ich habe noch neun weitere davon. Kannst du dir vorstellen, wie sich die in deinen roten Arsch krallen?«, miaute er ungerührt.

»Na gut, diesmal will ich noch ein Auge zudrücken. Ihr könnt gehen«, kreischte der Schimpanse in hilfloser Wut.

Mit stolz hochgereckten Schwänzen verschwanden die drei Katzen im Labyrinth der Gänge.

Kapitel 7: Ein Kater, der alles weiß

»Furchtbar! Furchtbar! Etwas ganz Furchtbares ist passiert!«, miaute der Schlaumeier, als er sie kommen sah. Er schritt aufgeregt vor einem großen Buch hin und her, das aufgeschlagen auf dem Boden lag, und griff sich immer wieder mit den Vorderpfoten an den Kopf. Er sah ganz untröstlich aus.

»Was ist passiert?«, fragte Secretario.
»Genau das wollte ich gerade fragen. Es ist wohl eine Manie von Ihnen, mir dauernd das Miauen aus dem Mund zu nehmen!«, protestierte Colonello.
»Ruhig Blut. So schlimm ist es ja nicht«, miaute Zorbas.
»So schlimm ist es nicht? Es ist furchtbar! Furchtbar! Diese verdammten Mäuse haben eine ganze Seite aus dem Atlas gefressen. Die Karte von Madagaskar ist verschwunden. Furchtbar!«, beharrte der Schlaumeier und zerrte an seinen Schnurrbarthaaren.
»Secretario, erinnern Sie mich daran, dass ich einen Vernichtungsfeldzug organisiere gegen diese Magadastafresser ... Masdagada ... nun ja, Sie wissen, was ich meine«, miaute Colonello.
»Madagaskar«, stellte Secretario richtig.
»Nur weiter so. Nehmen Sie mir ruhig immer das Miauen aus dem Mund. Porca miseria!«, rief Colonello.
»Wir helfen dir gleich, Schlaumeier. Aber erst einmal haben wir ein großes Problem zu lösen, und da du doch so viel weißt, kannst du uns vielleicht helfen«, miaute Zorbas und erzählte ihm die traurige Geschichte von der Möwe.
Der Schlaumeier hörte aufmerksam zu. Ab und zu nickte er mit dem Kopf, und wenn das nervöse Zucken seines Schwanzes allzu deutlich verriet, welche Gefühle Zorbas' Miauen in ihm weckte, versuchte er seinen Schwanz zwischen die Hinterläufe zu stecken.

»… und so hab ich sie zurückgelassen. Es ging ihr sehr schlecht. Ist noch nicht lange her …«, schloss Zorbas.

»Furchtbare Geschichte! Einfach furchtbar! Ruhe! Lasst mich nachdenken; Möwe …, Ölfleck …, Ölfleck …, Möwe … krank … Das ist es! Wir müssen im Lexikon nachsehen!«, rief er jubelnd.

»Im was?!«, miauten die drei Kater.

»Im Le-xi-kon. Das Buch des Wissens. Wir müssen in den Bänden 14 und 16 unter ›M‹ wie Möwe und ›Ö‹ wie Ölfleck nachschauen«, miaute der Schlaumeier entschieden.

»Sehn wir uns also dieses Mexilon … Exlikon … ähm …! an«, schlug Colonello vor.

»Le-xi-kon«, buchstabierte Secretario.

»Das wollte ich ja sagen. Ich stelle einmal mehr fest, dass Sie nicht der Versuchung widerstehen können, mir

das Miauen aus dem Mund zu nehmen«, murrte Colonello.

Der Schlaumeier sprang auf einen riesigen Schrank, in dem sich dicke, wichtig aussehende Bücher reihten, und nachdem er die Buchstaben ›M‹ und ›Ö‹ herausgesucht hatte, ließ er die Bände hinunterfallen. Er sprang vom Schrank und begann sogleich das Buch durchzusehen, wobei er mit einer vom vielen Herumblättern schon ganz abgewetzten Kralle die Seiten umschlug. Die drei Kater wahrten respektvolles Schweigen, während sie ihn leise miauen hörten.

»Ja, ich glaube, wir sind auf dem richtigen Weg. Interessant. Motiv. Moutier. Mouton. Das ist ja interessant! Hört zu, Freunde: hier steht, der Mount-Michael-Sperber sei ein furchtbarer Vogel. Er gilt als einer der gefräßigsten Raubvögel. Wie furchtbar!«, rief der Schlaumeier begeistert.

»Wir interessieren uns nicht für einen Mount-Michael-Sperber. Wir sind wegen einer Möwe hier«, unterbrach ihn Secretario.

»Hätten Sie wohl die Güte, mir nicht immerzu das Miauen aus dem Mund zu nehmen?«, schalt Colonello.

»Verzeihen Sie! Aber das Lexikon ist für mich unwiderstehlich. Wenn ich es durchblättere, lerne ich immer etwas Neues«, entschuldigte sich der Schlaumeier und miaute weiter gemurmelte Worte, bis er auf das Gesuchte traf. Was das Lexikon über Möwen zu vermelden hatte, half ihnen allerdings nicht viel weiter. Was sie über ihre Möwe erfuhren, war, dass sie zur Art der Silbermöwen gehörte, die wegen ihres silbrigen Gefieders so genannt wurde.

Und mit dem, was sie über das Öl herausfanden, konnten sie der Möwe auch nicht helfen, obwohl sie sich einen langen Vortrag

des Schlaumeiers über einen Erdölboykott anhören mussten, der in den siebziger Jahren stattgefunden hatte.
»Bei den Stacheln des Igels! Wir sind genauso weit wie am Anfang«, rief Zorbas.
»Furchtbar! Furchtbar! Dies ist das erste Mal, dass das Lexikon versagt hat«, rief der Schlaumeier untröstlich.
»Und steht in diesem Kexlifon ... diesem Floxiken ... na ja, Sie wissen schon, was ich meine, steht darin denn nichts darüber, wie man Ölflecken entfernt?«, fragte Colonello.
»Das ist genial! Furchtbar genial! Da hätten wir gleich mit der Suche beginnen müssen! Ich werfe euch sofort Band 7, Buchstabe ›F‹ wie ›Fleckenentferner‹ hinunter«, verkündete der Schlaumeier begeistert und sprang schon wieder auf den Bücherschrank.
»Wissen Sie was? Wenn Sie nicht diese widerliche Angewohnheit ablegen, mir dauernd das Miauen aus dem

Mund zu nehmen, dann weiß ich schon, was ich tue …!«, miaute Colonello zu Secretario, der keinen Mucks von sich gegeben hatte.

Auf der angegebenen Seite fanden sie unter Fleckenentferner nicht nur Anleitungen zum Entfernen von Marmeladen-, Tinten-, Blut- und Himbeersaftflecken, sondern auch eine zum Entfernen von Teerflecken.

»›Man säubert die befallene Oberfläche mit einem benzingetränkten Lappen.‹ Da haben wir es!«, miaute der Schlaumeier.

»Nichts haben wir! Wo, zum Teufel, sollen wir Benzin hernehmen!«, miaute Zorbas missmutig.

»Nun, wenn ich mich recht erinnere, haben wir im Keller des Restaurants eine Dose mit in Benzin getauchten Pinseln. Secretario, du weißt, was du zu tun hast«, miaute Colonello.

»Verzeihen Sie; aber ich verstehe nicht ganz«, antwortete Secretario.

»Ganz einfach: Sie tauchen Ihren Schwanz so weit wie möglich in die Benzindose, und dann kümmern wir uns um die arme Möwe«, miaute Colonello und schaute dabei in eine andere Richtung.

»Nein! Nein, das nicht! Auf keinen Fall!«, protestierte Secretario.

»Darf ich Sie daran erinnern, dass das heutige Mittagessen aus einer doppelten Portion Sahneleber besteht?«, säuselte Colonello.
»Den Schwanz in Benzin tauchen … Sagten Sie Sahneleber?«, miaute Secretario kleinmütig.
Der Schlaumeier beschloss mitzukommen, und so liefen die vier Katzen zum Ausgang von Harry's Basar. Als sie an dem Schimpansen vorbeirannten, hatte dieser gerade eine Flasche Bier leergetrunken und rülpste laut hinter ihnen her.

Kapitel 8: Zorbas beginnt sein Versprechen einzulösen

Die vier Katzen stiegen vom Dach auf den Balkon und erkannten sogleich, dass sie zu spät gekommen waren. Colonello, der Schlaumeier und Zorbas betrachteten respektvoll den Körper der toten Möwe, während Secretario mit seinem Schwanz im Wind wedelte, um den Benzingeruch loszuwerden.

»Ich glaube, wir sollten ihr die Flügel zusammenlegen. Das tut man in solchen Fällen wohl«, bemerkte Colonello.

Den Ekel überwindend, den jenes mit Erdöl verschmierte Wesen ihnen verursachte, legten sie der Möwe die Flügel an den Körper, und als sie den ersten bewegten, entdeckten sie das Ei mit den blauen Tupfen.

»Das Ei!«, rief Zorbas. »Sie hat ihr Ei gelegt!«

»Da hast du dich auf was Schönes eingelassen, caro amico. Wirklich!«, miaute Colonello.

»Was soll ich nur mit dem Ei machen?«, fragte sich Zorbas niedergeschlagen.

»Mit einem Ei kann man vieles machen. Eine Tortilla, zum Beispiel«, schlug Secretario vor.

»O ja, ein Blick ins Lexikon wird uns verraten, wie man die besten Tortillas bereitet. Das Thema wird in Band 22 unter Buchstabe ›T‹ abgehandelt«, versicherte der Schlaumeier.

»Davon kann überhaupt kein Miauen sein! Zorbas hat der armen Möwe versprochen, sich um das Ei zu kümmern und für das Küken zu sorgen. Und das von einer Hafenkatze gegebene Versprechen gilt für alle Hafenkatzen; also wird das Ei nicht angerührt«, verkündete Colonello feierlich.

»Aber ich weiß doch gar nicht, wie man sich um ein Ei kümmert! Ich habe mich noch nie um ein Ei kümmern müssen!«, miaute Zorbas verzweifelt.

Darauf richteten sich alle Blicke auf den Schlaumeier. Vielleicht ließ sich in seinem berühmten Le-xi-kon etwas darüber finden.
»Da muss ich in Band 5 unter ›E‹ nachschauen. Da findet sich bestimmt alles, was wir über Eier wissen müssen; aber fürs Erste empfehle ich Wärme, Körperwärme, viel Körperwärme«, riet der Schlaumeier mit schulmeisterlich belehrender Stimme.
»Das heißt, sich auf das Ei legen, ohne es zu zerbrechen«, bemerkte Secretario.
»Genau das wollte ich gerade vorschlagen. Sie haben eine erstaunliche Fähigkeit, mir das Miauen aus dem Mund zu nehmen. Zorbas, lege dich zu dem Ei, und wir

begleiten den Schlaumeier zu seinem Flexi … Kexi …, na ja, du weißt schon. Gegen Abend kommen wir zurück, und dann begraben wir diese arme Möwe«, entschied Colonello und sprang aufs Dach.

Der Schlaumeier und Secretario taten es ihm nach. Zorbas blieb auf dem Balkon bei dem Ei und der toten Möwe. Sehr behutsam streckte er sich auf dem Boden aus und zog das Ei mit einer Pfote ganz nah an seinen Bauch. Er kam sich lächerlich vor. Er dachte an den Spott, mit dem ihn die beiden Herumtreiber von heute Morgen überschütten würden, wenn sie ihn so sähen.

Aber ein Versprechen ist ein Versprechen, und so döste er, von den Sonnenstrahlen gewärmt, langsam ein, das weiße Ei mit den blauen Tupfen ganz dicht an seinem Bauch.

Kapitel 9: Eine traurige Nacht

Im Licht des Mondes gruben Secretario, der Schlaumeier, Colonello und Zorbas ein Loch am Fuße der Kastanie. Kurz zuvor hatten sie die Möwe in den Innenhof hinuntergeworfen, sehr vorsichtig, damit kein Mensch sie dabei entdeckte. Jetzt legten sie sie schnell in das Loch und bedeckten sie mit Erde. Danach miaute Colonello mit feierlicher Stimme:

»Meine Freunde, in dieser Vollmondnacht verabschieden wir uns von den sterblichen Überresten einer unglücklichen Möwe, deren Namen wir nicht einmal erfahren haben. Alles, was wir dank der Kenntnisse unseres Freundes, des Schlaumeiers, über sie wissen, ist, dass sie zur Art der Silbermöwen gehörte und vielleicht von weither gekommen ist, vielleicht von dort, wo der Fluss sich ins Meer ergießt. Wir wissen nicht viel von ihr, aber worauf es ankommt, ist, dass sie sterbend auf dem Balkon von Zorbas, einem der Unseren, landete und sich ihm anvertraute. Zorbas hat ihr versprochen, sich um das Ei zu kümmern, das sie kurz vor dem Sterben legte, um das Küken, das daraus entschlüpfen wird, und, das Schwierigste von allem, meine Freunde, er

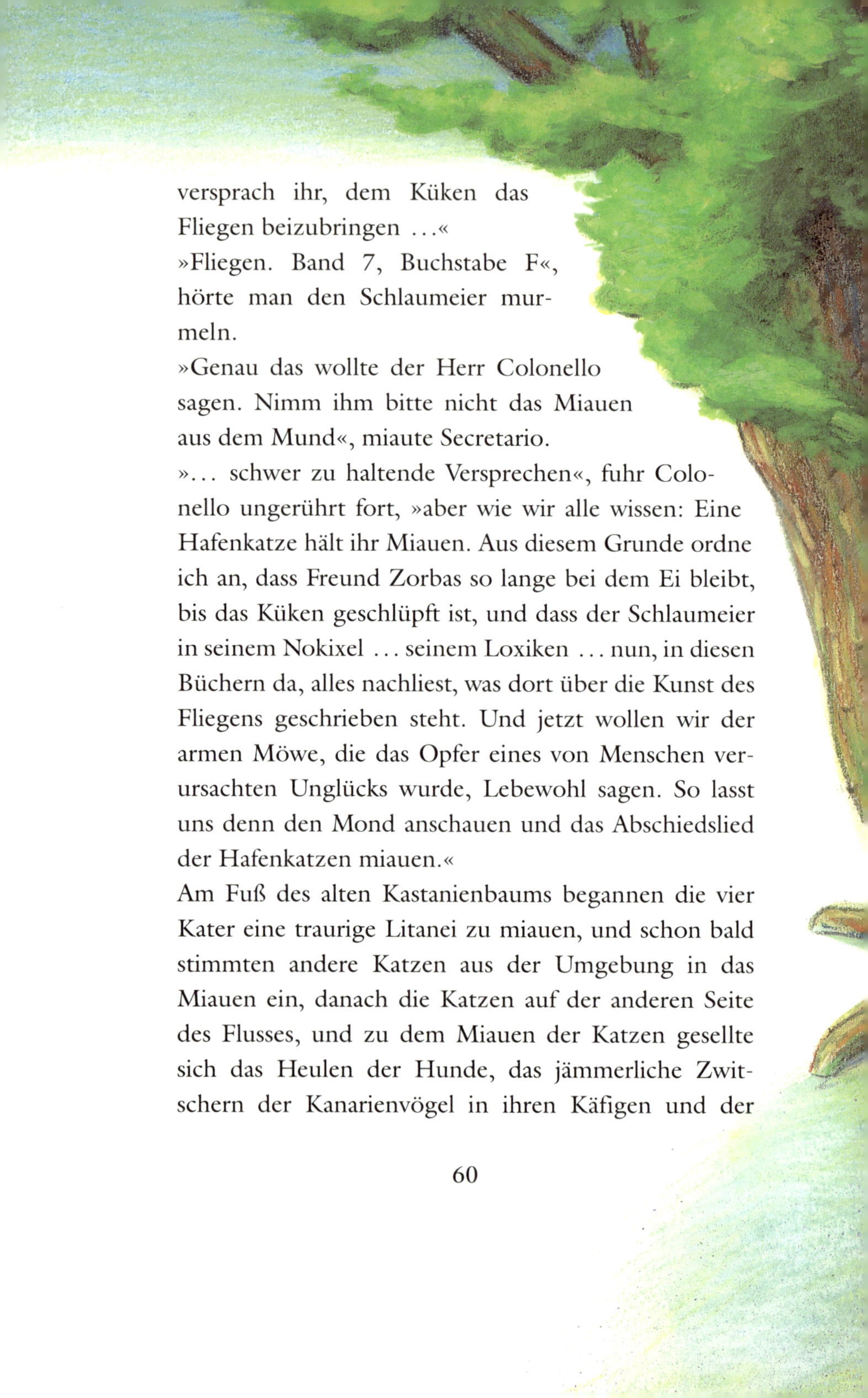

versprach ihr, dem Küken das Fliegen beizubringen …«

»Fliegen. Band 7, Buchstabe F«, hörte man den Schlaumeier murmeln.

»Genau das wollte der Herr Colonello sagen. Nimm ihm bitte nicht das Miauen aus dem Mund«, miaute Secretario.

»… schwer zu haltende Versprechen«, fuhr Colonello ungerührt fort, »aber wie wir alle wissen: Eine Hafenkatze hält ihr Miauen. Aus diesem Grunde ordne ich an, dass Freund Zorbas so lange bei dem Ei bleibt, bis das Küken geschlüpft ist, und dass der Schlaumeier in seinem Nokixel … seinem Loxiken … nun, in diesen Büchern da, alles nachliest, was dort über die Kunst des Fliegens geschrieben steht. Und jetzt wollen wir der armen Möwe, die das Opfer eines von Menschen verursachten Unglücks wurde, Lebewohl sagen. So lasst uns denn den Mond anschauen und das Abschiedslied der Hafenkatzen miauen.«

Am Fuß des alten Kastanienbaums begannen die vier Kater eine traurige Litanei zu miauen, und schon bald stimmten andere Katzen aus der Umgebung in das Miauen ein, danach die Katzen auf der anderen Seite des Flusses, und zu dem Miauen der Katzen gesellte sich das Heulen der Hunde, das jämmerliche Zwitschern der Kanarienvögel in ihren Käfigen und der

Schwalben in ihren Nestern, das traurige Quaken der Frösche und sogar das schrille Kreischen des Schimpansen Matias.

In den Häusern von ganz Hamburg gingen die Lichter an, und die Einwohner fragten sich, was der Grund für die sonderbare Traurigkeit sein mochte, die sich plötzlich aller Tiere bemächtigt hatte.

Zweiter Teil

Kapitel 1: Brütender Kater

Viele Tage lag der große schwarze dicke Kater bei dem Möwenei und behütete es, zog es mit seinen samtenen Pfoten jedes Mal vorsichtig zu sich heran, wenn es ein wenig von ihm fortrollte. Es waren lange und unbequeme Tage, die ihm manchmal vollkommen unnütz vorkamen, denn er sah sich einen leblosen Gegenstand bebrüten, so etwas wie einen zerbrechlichen Kieselstein, der allerdings weiß war und blaue Tupfen hatte.
Eines Tages schmerzten ihn die Muskeln vom ewigen Stillliegen, denn da er die Anweisungen Colonellos strikt befolgte, verließ er das Ei nur, um zu essen und um seine Notdurft im Katzenklo zu verrichten; und da kam ihm der Gedanke, sich doch einmal davon zu überzeugen, ob überhaupt ein Möwenküken in dem Ei heranwuchs. Er hielt ein Ohr an das Ei, danach das andere, aber er hörte nichts. Ebenso wenig Glück hatte er, als er versuchte, im Gegenlicht in das Ei hineinzuschauen. Die weiße Schale mit den blauen Tupfen war dick und ließ nichts hindurchscheinen.
Colonello, Secretario und der Schlaumeier besuchten ihn jeden Abend und begutachteten das Ei, um der, wie

Colonello sie nannte, »zu erwartenden Fortschritte« ansichtig zu werden, doch nachdem sie feststellten, dass das Ei noch genauso war wie am ersten Tag, wechselten sie das Thema.

Der Schlaumeier beklagte immerzu die bedauerliche Tatsache, dass in seinem Lexikon nichts über die exakte Dauer der Brutzeit zu finden war, und das Genaueste, das er in seinen dicken Büchern darüber fand, war die Angabe, die Brutzeit könne zwischen siebzehn und dreißig Tagen dauern, je nachdem, welche Art von Möwe das Muttertier gewesen war.

Das Brüten war für den großen schwarzen dicken Kater nicht immer einfach. Nie vergaß er jenen Morgen, als der Freund der Familie, der ihm täglich das Essen brachte, der Meinung war, es müsse einmal saubergemacht werden, und den Staubsauger hervorholte.

Bisher hatte Zorbas immer, wenn der Freund kam, das Ei zwischen den Blumentöpfen auf dem Balkon versteckt, um so ein paar Minuten Zeit zu haben, dem netten Typ um die Beine zu strei-

chen und ihn dankbar anzumiauen; dann ging der Mensch wieder und sagte ihm zum Abschied jedes Mal, ein wie netter Kater er doch sei. An jenem Morgen aber, nachdem er ihn mit dem Staubsauger im Wohnzimmer und in den Schlafzimmern gesehen hatte, hörte er ihn plötzlich sagen:

»Und jetzt der Balkon! Zwischen den Blumentöpfen sammelt sich immer der meiste Dreck.«

Als der Mensch hörte, wie eine Obstschale in tausend Stücke zersprang, kam er in die Küche gelaufen und schrie an der Tür:

»Bist du verrückt geworden, Zorbas? Sieh, was du angerichtet hast! Verschwinde jetzt, blöder Kater. Fehlt nur noch, dass du dir einen Glassplitter in die Pfote trittst.«

Wie ungerecht er behandelt wurde! Zorbas schlich mit eingeklemmtem Schwanz und gespieltem Schuldbewusstsein auf den Balkon hinaus.

Es war nicht leicht für Zorbas, das Ei bis unter eines

der Betten zu rollen, aber er schaffte es und wartete dort, bis der Mensch mit dem Saubermachen fertig war und verschwand.

Am Abend des zwanzigsten Tages hielt Zorbas ein Nickerchen und bemerkte daher nicht, dass das Ei sich bewegte, ganz wenig nur, aber es bewegte sich, als wolle es davonrollen.

Ein Kitzeln am Bauch weckte ihn. Er schlug die Augen auf und sprang unwillkürlich auf die Beine, als er sah, dass in einem kleinen Spalt im Ei immer wieder die Spitze eines gelben Schnäbelchens zum Vorschein kam. Zorbas nahm das Ei zwischen die Vorderpfoten und konnte sehen, wie das Küken klopfte, bis es ein kleines Loch geschlagen hatte, durch das es sein winziges weißes feuchtes Köpfchen streckte.

»Mama!«, krächzte das Möwenküken.

Zorbas wusste nicht, was er antworten sollte. Er wusste, dass er ein schwarzes Fell hatte, aber in diesem Moment hatte er das Gefühl, es sei vor Rührung und Scham ganz violett geworden.

Kapitel 2: Mama sein dagegen sehr

»Mama! Mama!«, krächzte das Küken noch einmal, als es schon aus dem Ei geschlüpft war. Hier und da zeigten sich kurze dürre Federchen an seinem Leib. Es versuchte ein paar Schritte zu gehen und fiel neben Zorbas' Bauch um.

»Mama! Ich hab Hunger!«, krächzte das Kleine und pickte ihm ins Fell.

Was sollte er ihm zu essen geben? Der Schlaumeier hatte nichts darüber miaut. Er wusste zwar, dass Möwen sich von Fisch ernähren, aber woher sollte er jetzt Fisch bekommen? Zorbas lief in die Küche und kam gleich darauf mit einem Apfel zurück, den er vor sich herrollte.

Das Küken erhob sich schwankend auf die Beine und stürzte sich auf den Apfel. Das gelbe Schnäbelchen prallte gegen die Schale, bog sich um, als sei es aus Gummi, und als der Schnabel wieder in seine ursprüngliche Form zurückschnellte, wurde das Küken nach hinten katapultiert, dass es umfiel.
»Ich hab Hunger! Mama! Ich hab Hunger!«, krächzte das Küken wütend.
Zorbas versuchte vergebens, es an einer Kartoffel oder an seinen Katzenkeksen picken zu lassen – die Familie war in Ferien, da gab es keine große Auswahl – und bedauerte zutiefst, sein Essen schon vor der Geburt des Kükens verspeist zu haben. Das Schnäbelchen war noch ganz weich und knickte beim Aufprall auf der Kartoffelschale um. Zorbas war schon ganz verzweifelt, als ihm plötzlich einfiel, dass das Küken ein Vogel war, und Vögel fraßen Insekten.
Er ging auf den Balkon und wartete geduldig, bis eine Fliege in die Reichweite seiner Krallen kam. Es

dauerte nicht lange, da hatte er eine gefangen und brachte sie dem hungrigen Kleinen.

Das Küken schnappte die Fliege mit seinem Schnabel, drückte zu und schluckte sie mit geschlossenen Augen hinunter.

»Lecker, Mami! Ich will noch mehr!«, krächzte es begeistert.

Zorbas sprang auf dem Balkon von einer Ecke zur anderen und hatte schon fünf Fliegen und eine Spinne gefangen, als er vom Dach auf der anderen Seite des Innenhofs die ihm schon bekannten Stimmen der streunenden Katzen hörte, mit denen er sich vor einigen Tagen angelegt hatte.

»Hey, guck mal, Kumpel! Der Dicke macht Tanzgymnastik. Für einen Tänzer hat er ja auch genau die richtige Figur«, miaute der eine.

»Ich glaube eher, unser Dickerchen macht Aerobic. So was Graziles. Der Dicke hat Stil. He, hör mal, du Fettklops, willst du bei einem Schönheitswettbewerb mitmachen?«, miaute der andere.

Die beiden Streuner lachten, auf der anderen Seite des Innenhofs fühlten sie sich sicher.

Zorbas hatte nicht übel Lust, sie seine Krallen spüren zu lassen, aber sie waren zu weit entfernt, und so trottete er mit seiner Insektenausbeute zu dem hungrigen Küken.

Das Kleine verschlang die fünf Fliegen, weigerte sich aber, die Spinne anzurühren. Dann tat es einen kleinen Rülpser und kuschelte sich zufrieden an Zorbas' Bauch.

»Mama, ich bin müde«, krächzte es.

»Hör mal, es tut mir sehr leid, aber ich bin nicht deine Mama«, miaute Zorbas.

»Natürlich bist du meine Mama. Und du bist eine gute Mama«, krächzte das Möwchen schläfrig.

Als Colonello, Secretario und der Schlaumeier eintrafen, fanden sie das Küken schlafend an Zorbas' Seite.

»Herzlichen Glückwunsch! Das ist aber ein schönes Küken. Wie viel hat es denn gewogen?«, fragte der Schlaumeier.

»Was soll die Frage? Ich bin nicht die Mutter von diesem Huhn!«, antwortete Zorbas.

»Das fragt man in solchen Fällen. Nimm's ihm nicht

übel«, miaute Colonello. »Es ist wirklich ein sehr hübsches Küken.«

»Furchtbar! Es ist furchtbar!«, rief der Schlaumeier und schlug die Vorderpfoten vor den Mund.

»Könntest du uns sagen, was so furchtbar ist?«, wollte Colonello wissen.

»Das Küken hat gar nichts zu essen. Es ist furchtbar! Furchtbar!«, wiederholte der Schlaumeier.

»Du hast recht. Ich habe ihm schon Fliegen fangen müssen und ich glaube, es wird bald mehr haben wollen«, miaute Zorbas.

»Secretario, worauf warten Sie?«, fragte Colonello.

»Entschuldigen Sie, mein Herr, aber ich verstehe nicht ganz«, entgegnete Secretario.

»Laufen Sie zum Restaurant und bringen Sie eine Sardine her«, miaute Colonello scharf.

»Warum ich? Warum werde immer ich herumgeschickt, he? Tauch deinen Schwanz in Benzin, hol eine Sardine … warum immer ich, he?«, protestierte Secretario.

»Weil es heute, mein Herr, zum Abendessen Calamares alla Romana gibt. Meinen Sie nicht, dass das ein guter Grund ist?«, miaute Colonello mit seiner liebenswürdigsten Stimme.

»Und mein Schwanz stinkt immer noch nach Benzin … Sagten Sie Calamares alla Romana?«, fragte Secretario und sprang schon aufs Dach.

»Mama! Was sind das für welche?«, krächzte das Küken und zeigte auf die Katzen.

»Mama! Es hat Mama zu dir gesagt! Wie furchtbar süß!«, rief der Schlaumeier, bevor Zorbas ihm mit einem Blick zu verstehen gab, dass er besser den Mund hielt.

»Nun denn, caro amico, dein erstes Versprechen hast du eingelöst, du bist dabei, dein zweites einzulösen, und dir bleibt nur noch das dritte«, stellte Colonello fest.

»Das leichteste: ihm Fliegen beizubringen«, miaute Zorbas ironisch.

»Das schaffen wir schon. Ich werde das Lexikon zurate ziehen, aber Wissen braucht Zeit«, versicherte der Schlaumeier.

»Mama! Ich hab Hunger!«, unterbrach sie das Küken.

Kapitel 3: Gefahr droht

Die Schwierigkeiten begannen am zweiten Tag nach der Geburt. Zorbas musste zu drastischen Maßnahmen greifen, damit der Freund der Familie die kleine Möwe nicht entdeckte. Kaum öffnete dieser die Haustür, stülpte Zorbas einen leeren Blumentopf über das Küken und setzte sich darauf. Zum Glück kam der Freund nicht auf den Balkon, und in der Küche konnte er das protestierende Krächzen der kleinen Möwe nicht hören. Wie immer säuberte der Mensch das Katzenklo, wechselte die Streu und öffnete eine neue Dose Katzenfutter. Bevor er ging, steckte er seinen Kopf durch die Balkontür.

»Ich hoffe, du bist nicht krank, Zorbas. Sonst kommst du doch gleich angerannt, wenn ich dir eine Dose aufmache. Warum sitzt du denn auf dem Blumentopf?

Man könnte ja meinen, du hast etwas zu verbergen. Na, bis morgen dann, du verrückter Kater.«

Und wenn ihm in den Sinn gekommen wäre, unter dem Blumentopf nachzusehen? Bei dem bloßen Gedanken daran zuckte es Zorbas im Bauch, und er musste zu seinem Katzenklo rennen.

Dort hockte er nun mit steil aufgerichtetem Schwanz und empfand eine große Erleichterung. Er dachte an die letzten Worte des Menschen. »Verrückter Kater«, hatte er ihn genannt. »Verrückter Kater.«

Vielleicht hatte er recht damit. Am praktischsten wäre es schließlich gewesen, dem Menschen das Küken zu zeigen. Er hätte dann gedacht, der Kater wolle es fressen, und er hätte das Küken mitgenommen, um es großzuziehen. Aber er, Zorbas, hatte es unter einem Blumentopf versteckt. War er etwa nicht verrückt?

Nein. Keineswegs. Zorbas hielt sich nur strikt an den Ehrenkodex der Hafenkatzen. Er hatte der sterbenden Möwe versprochen, ihrem Küken das Fliegen beizubringen, und das würde er tun. Er wusste zwar nicht, wie, aber er würde es tun.

Zorbas kratzte gerade sorgfältig Streu über seine Exkremente, als das verängstigte Krächzen der kleinen Möwe ihn zum Balkon rief.

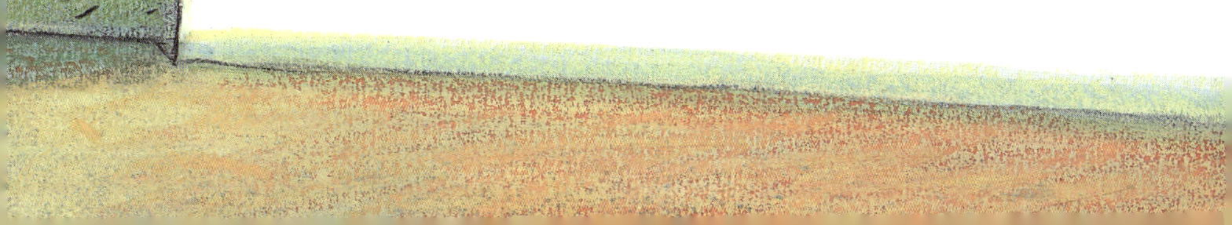

Was er dort sah, ließ ihm das Blut in den Adern gefrieren.

Die beiden streunenden Kater standen vor dem Küken, ihre Schwänze zuckten erregt hin und her, und einer von ihnen hatte seine Pfote auf den Schwanz des Kükens gestellt und hielt es am Boden fest. Zum Glück kehrten sie ihm den Rücken zu und sahen ihn nicht kommen. Zorbas spannte alle Muskeln an.

»Hey, wer hätte gedacht, dass wir so ein leckeres Frühstück finden, was, Kumpel? Der Kleine ist zwar winzig, sieht aber ganz schmackhaft aus«, miaute der eine.

»Mama! Hilfe!«, krächzte das Küken.

»Von Vögeln mag ich ja am liebsten die Flügel. Dem

seine hier sind zwar ziemlich klein, aber an seinen Schenkeln ist schon was dran«, miaute der andere.

Zorbas sprang. Im Sprung fuhr er die Krallen seiner Vorderpfoten aus, und als er mitten zwischen den beiden Halbstarken landete, drückte er ihre Köpfe auf die Erde. Sie versuchten auf die Beine zu kommen, doch das gelang ihnen nicht, da das Ohr eines jeden von einer Kralle durchbohrt war.

»Mama! Die wollten mich fressen!«, krächzte das Küken.

»Ihr Kindchen fressen? Nein, gnädige Frau, das wollten wir bestimmt nicht«, miaute der eine mit an die Erde gepresstem Kopf.

»Wir sind nämlich Vegetarier, gnädige Frau. Supervegetarier sogar«, versicherte der andere.

»Ich bin keine Frau, ihr Idioten!«, miaute Zorbas und zog an ihren Ohren, damit sie ihn sehen konnten.

Als die beiden Tagediebe ihn erkannten, sträubte sich ihr Fell.

»Ein hübsches Kind haben Sie da, mein Freund. Das wird sicher einmal ein großer Kater«, versicherte der erste.

»Das sieht man schon von weitem. Ein ausgesprochen hübsches Katerchen«, bestätigte der zweite.

»Das ist kein Kater. Das ist eine kleine Möwe, ihr Blödmänner«, klärte Zorbas sie auf.

»Genau das sage ich doch immer zu meinem Kumpel: Möwenkinder sind das einzig Wahre. Stimmt's, Kumpel?«, miaute der erste.

Zorbas beschloss, dem Zirkus ein Ende zu machen, aber die beiden Trottel sollten eine Erinnerung an seine Krallen mitnehmen. Mit einem heftigen Ruck zog er seine Vorderpfoten zurück, und die scharfen Krallen schlitzten jedem dieser beiden Feiglinge das Ohr auf. Vor Schmerz jaulend, stoben sie davon.

»Ich habe eine sehr tapfere Mama!«, krächzte die kleine Möwe.

Zorbas erkannte, dass der Balkon kein sicherer Ort für das Küken war und dass er es auch nicht in die Wohnung bringen konnte, da es dort alles beschmutzen und

dann von dem Freund der Familie entdeckt werden würde. Er musste ein sicheres Versteck finden.
»Komm, wir machen einen Spaziergang«, miaute Zorbas und nahm das Vögelchen behutsam zwischen seine Zähne.

Kapitel 4: Die Gefahr dauert an

In Harry's Basar entschieden die Katzen, dass die kleine Möwe nicht bei Zorbas in der Wohnung bleiben konnte. Dort war sie vielen Gefahren ausgesetzt, und die größte Gefahr von allen war nicht die bedrohliche Anwesenheit der beiden streunenden Kater, sondern der Freund der Familie.

»Die Menschen sind leider unberechenbar«, stellte Colonello fest. »Mit den besten Absichten richten sie manchmal die schlimmsten Schäden an.«

»So ist es. Denkt an Harry, der ein guter Mensch ist. Eine Seele von einem Menschen, aber da er den Schimpansen in sein Herz geschlossen hat und weiß, dass der gerne Bier trinkt, gibt er ihm eine Flasche, wann immer der Affe Durst hat. Der arme Matias ist Alkoholiker und hat jede Scham verloren, und immer wenn er betrunken ist, kreischt er furchtbare Lieder. Furchtbar!«, miaute der Schlaumeier. »Das ist noch gar nichts gegen den Schaden, den die Menschen absichtlich anrichten. Denken wir nur an die arme Möwe, die wegen dieses verdammten Wahns, mit Abfällen das Meer zu vergiften, sterben musste«, fügte Secretario hinzu.

Nach kurzer Beratung kamen sie überein, dass Zorbas und das Küken so lange im Basar wohnen sollten, bis das Kleine fliegen konnte. Zorbas sollte jeden Morgen in seine Wohnung gehen, damit der Mensch keinen Verdacht schöpfte, und danach zurückkommen und auf das Küken aufpassen.

»Es wäre nicht schlecht, wenn das Küken einen Namen hätte«, schlug Secretario vor.

»Genau das wollte ich gerade vorschlagen. Ich fürchte, der Wahn, mir das Miauen aus dem Mund zu nehmen, ist sehr viel stärker als Sie«, nörgelte Colonello.

»Einverstanden«, miaute Zorbas. »Es soll einen Namen haben, aber zuerst müssen wir feststellen, ob es ein Männchen oder ein Weibchen ist.«

Er hatte kaum zu Ende miaut, da warf ihnen der Schlaumeier schon einen Lexikonband vom Bücherschrank hinunter: Es war Band 8 mit dem Buchstaben ›G‹ und er blätterte schon darin herum, auf der Suche nach dem Wort ›Geschlecht‹.

Leider sagte das Lexikon nichts darüber, wie man das Geschlecht eines Möwenkükens bestimmen konnte.

»Du musst zugeben, dass dein Lexikon uns bisher nicht viel weitergeholfen hat«, maulte Zorbas.

»Ich kann keinen Zweifel an der Zuverlässigkeit meines Lexikons dulden! Alles Wissen findet sich in diesen Büchern«, miaute der Schlaumeier beleidigt.

»Möwe. Meeresvogel. Hein Reling! Der Einzige, der

uns sagen kann, ob es Männchen oder Weibchen ist, ist Hein Reling«, miaute Secretario eifrig.

»Genau das wollte ich gerade miauen. Ich verbiete Ihnen, mir weiterhin das Miauen aus dem Mund zu nehmen«, miaute Colonello ernsthaft böse.

Während die Katzen miteinander miauten, machte das Küken einen Spaziergang zwischen Dutzenden von ausgestopften Vögeln. Es gab Amseln, Papageien, Tukane, Pfauen, Adler und Falken, die es furchtsam betrachtete.

Plötzlich stellte sich ihm ein Tier mit roten Augen in den Weg, das überhaupt nicht ausgestopft war.
»Mama! Hilfe!«, krächzte die kleine Möwe verzweifelt.
Zorbas war als Erster bei ihr und gerade noch rechtzeitig, denn im selben Moment griff eine Ratte mit ihren Vorderpfoten nach dem Hals des Kükens.
Als sie Zorbas sah, huschte die Ratte zu einem Spalt im Gemäuer und verschwand darin.
»Sie wollte mich fressen!«, krächzte das Küken und schmiegte sich an Zorbas.

»An diese Gefahr haben wir nicht gedacht. Ich glaube, ich muss mal ein ernstes Wort mit den Ratten miauen«, miaute Zorbas.
»Gut. Aber mach diesem Gesindel keine großen Zugeständnisse«, riet Colonello.
Zorbas ging zu dem Mauerspalt. Da drinnen war es zwar sehr dunkel, aber er konnte deutlich die roten Augen der Ratte sehen.
»Ich will mit deinem Chef sprechen«, miaute Zorbas entschlossen.
»Ich bin der Chef der Ratten«, vernahm er die Antwort aus dem Dunkeln.
»Wenn du der Chef bist, seid ihr weniger wert als eine Handvoll Kakerlaken. Und jetzt hol deinen Chef«, forderte Zorbas.
Er hörte die Ratte davonlaufen. Man vernahm das Kratzen ihrer Krallen in einem Leitungsrohr, durch das sie lief, und ein paar Minuten später sah Zorbas im Halbdunkel die roten Augen wieder auftauchen.
»Der Chef empfängt dich. Im Keller mit den Muscheln gibt es hinter der Piratenkiste einen Eingang«, quietschte die Ratte.
Zorbas stieg in den angegebenen Keller hinab. Er suchte hinter der Kiste und fand ein Loch in der Wand, durch das er kriechen konnte. Er schob die Spinnweben beiseite und drang in die Welt der Ratten ein. Sie roch nach Feuchtigkeit und Unrat.

»Folge den Abwasserleitungen«, quietschte eine Ratte, die er nicht sehen konnte.
Er folgt ihnen. Je weiter er seinen Körper vorwärtsschob, desto deutlicher fühlte er, wie Staub und Müll sich in seinem Fell festsetzten.
Er kroch im Halbdunkeln weiter, bis er zu einem Kanalgewölbe kam, das nur schwach von einem dünnen Streifen Tageslicht erhellt wurde. Zorbas nahm an, dass sie sich unter der Straße befanden und der Lichtstreif durch den Gullydeckel nach unten fiel. In dem Gewölbe stank es, aber es war wenigstens hoch genug, dass Zorbas auf allen vieren stehen konnte. Durch die Mitte lief ein Abwasserkanal. Dann sah er den Rattenchef: ein großer Nager mit dunklem Fell, den Leib voller Narben, der sich amüsiert mit einer Kralle über die Ringe seines Schwanzes fuhr.
»Schau an, schau an. Seht, wer uns da besucht. Der dicke Kater«, quietschte der Rattenchef.
»Der dicke Kater! Der dicke Kater!«, stimmten Dutzende von Ratten ein, von denen Zorbas nur die roten Augen sah.
»Ich will, dass ihr die kleine Möwe in Ruhe lasst«, miaute Zorbas entschlossen.
»So, so, die Katzen haben also eine kleine Möwe. Wusste ich's doch. In den Abwasserkanälen wird viel erzählt. Es heißt, es sei eine sehr leckere kleine Möwe. Sehr lecker! Hä, hä, hä«, quietschte der Rattenchef.

»Sehr lecker! Hä, hä, hä«, stimmten die anderen Ratten ein.

»Die kleine Möwe steht unter dem Schutz der Katzen«, miaute Zorbas.

»Wollt ihr sie noch ein wenig mästen, bevor ihr sie fresst? Ohne uns einzuladen? Ihr Egoisten!«, quietschte die Ratte aufgebracht.

»Egoisten! Egoisten!«, wiederholten die Ratten.

»Ich brauche dir nicht zu sagen, dass ich mehr Ratten getötet habe, als Haare auf meinem Pelz wachsen.

Wenn der kleinen Möwe etwas zustößt, sind eure Tage gezählt«, warnte Zorbas sie mit ernster Stimme.
»Hör mal, du Fettkloß. Hast du schon daran gedacht, wie du hier wieder rauskommen willst? Aus dir können wir ganz schnell Katzenpüree machen«, drohte die Ratte.
»Katzenpüree! Katzenpüree!«, quietschten die anderen Ratten.
Da sprang Zorbas den Rattenchef an. Er landete auf seinem Rücken und umklammerte den Kopf mit seinen Krallen.

»Du kannst ganz schnell deine Augen verlieren. Deine Gefolgsleute mögen Katzenpüree aus mir machen, aber das wirst du nicht mehr sehen. Lasst ihr die kleine Möwe also in Ruhe?«, miaute Zorbas.

»Mann, hast du schlechte Manieren. Ist ja gut. Kein Katzenpüree und kein Möwenpüree. Hier in den Kanälen kann man über alles verhandeln«, willigte die Ratte ein.

»Also gut, verhandeln wir. Was willst du dafür, dass die kleine Möwe am Leben bleibt?«, fragte Zorbas.

»Freien Durchgang durch den Hinterhof. Colonello hat angeordnet, dass man uns den Weg zum Markt versperrt. Freien Durchgang durch den Hinterhof«, quietschte die Ratte.

»Einverstanden. Ihr könnt durch den Hinterhof, aber nur nachts, wenn die Menschen euch nicht sehen. Wir Katzen müssen schließlich auf unser Prestige achten«, miaute Zorbas und nickte nachdrücklich.

Er wich rückwärts in das Loch zurück, ohne dabei seinen Blick von dem Rattenchef und den Dutzenden von roten Augenpaaren zu wenden, die ihn hasserfüllt anstarrten.

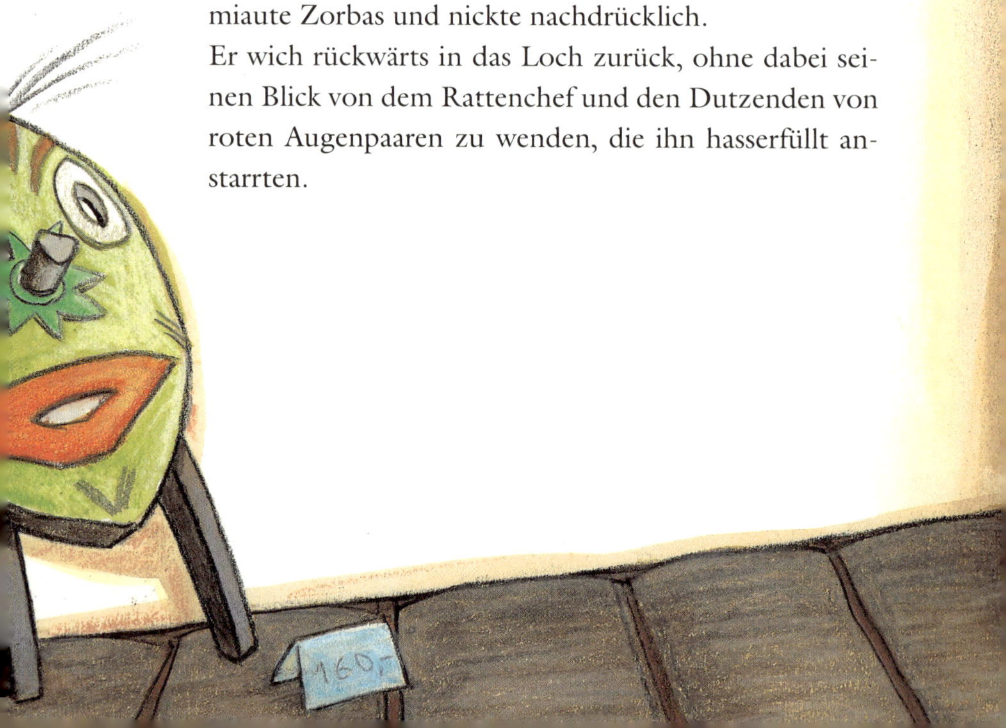

Kapitel 5: Männchen oder Weibchen?

Es dauerte drei Tage, bis sie mit Hein Reling sprechen konnten. Hein Reling war ein Schiffskater; ein waschechter Schiffskater.

Er war das Maskottchen auf *Hannes II*, einem großen Baggerschiff, das dafür sorgte, dass der Grund der Elbe immer sauber und frei von Hindernissen war.

Die Besatzung von *Hannes II* mochte Hein Reling, einen honigfarbenen Kater mit blauen Augen, den sie während der harten Arbeit des Ausbaggerns als einen der Ihren betrachteten.

Kam Unwetter auf, zogen ihm die Männer eine gelbe

Öljacke an, die für ihn zurechtgeschneidert worden war und genauso aussah wie die gelben Regenmäntel, die sie selber trugen, und Hein Reling schritt dann mit gerunzelter Stirn über Deck, wie ein Seemann, der sich gegen den Wind stemmt.

Die *Hannes II* hatte auch schon die Hafenbecken von Rotterdam, Antwerpen und Kopenhagen ausgebaggert, und Hein Reling wusste von diesen Reisen die unterhaltsamsten Geschichten zu miauen. Ja, er war ein waschechter Schiffskater.

»Ahoi!«, miaute Hein Reling, als er den Basar betrat.

Der Schimpanse blinzelte verdutzt, als er mit breitbeinig schwingendem Gang den Kater vorbeigehen sah, der ihn in seiner wichtigen Bedeutung als Kartenabreißer einfach ignorierte.

»Wenn du schon nicht guten Tag sagen kannst, be-

zahle wenigstens deinen Eintritt, du Sack voll Flöhe«, kreischte Matias.

»Blödmann steuerbord! Beim Reißzahn des Barrakudas! Hast du mich einen Läusesack genannt? Dann lass dir sagen, dass dieses Fell schon von allen erdenklichen Insekten in allen erdenklichen Häfen gestochen worden ist. Später erzähle ich dir mal die Geschichte von der Zecke, die mir auf den Rücken sprang und die so schwer war, dass ich unter ihrem Gewicht zusammengebrochen bin. Bei den Barten des Wals! Und die Geschichte von den Cacatúa-Flöhen könnte ich dir noch miauen. Die brauchen zum Frühstück das Blut von sieben Menschen. Bei der Flosse des Haifischs! Hol den Anker ein, du Affe, und nimm mir nicht den Wind aus den Segeln!«, befahl Hein Reling und schritt davon, ohne eine Antwort des Schimpansen abzuwarten.

Als er zum Bücherzimmer kam, grüßte er von der Tür her die dort versammelten Katzen.

»Moin!«, miaute Hein Reling, der gern im derben und zugleich so sanften Hamburger Dialekt miaute.

»Da bist du endlich, capitano, du weißt nicht, wie sehr wir dich brauchen!«, empfing ihn Colonello.

Rasch miauten sie ihm die Geschichte von der Möwe und den Versprechen, die Zorbas gegeben hatte; Versprechen, betonten sie, die sie alle in die Pflicht nahmen.

Hein Reling hörte sich das an und nickte bekümmert. »Bei der Tinte des Calamars! Schreckliche Dinge passieren auf dem Meer. Manchmal frage ich mich, ob einige von diesen Menschen wahnsinnig geworden sind, weil sie versuchen, aus dem Ozean eine riesige Müllkippe zu machen. Ich komme gerade von der Elbemündung, die wir ausgebaggert haben. Ihr könnt euch nicht vorstellen, was die Flut da für einen Unrat hineinträgt. Beim Panzer der Schildkröte! Wir haben Fässer mit Insektenvernichtungsmitteln und Autoreifen heraufgeholt, Tonnen von diesen verdammten Plastikflaschen, die die Menschen am Strand liegen lassen«, miaute Hein Reling zornig.

»Furchtbar! Furchtbar! Wenn das so weitergeht, wird das Wort ›Umweltverschmutzung‹ bald unter ›U‹ den ganzen Band 22 meines Lexikons füllen«, miaute der Schlaumeier empört.

»Und was kann ich für diesen armen Vogel tun?«, fragte Hein Reling.

»Du, der du die Geheimnisse der Meere kennst, bist

der Einzige, der uns sagen kann, ob es ein Männchen oder ein Weibchen ist«, antwortete Colonello.
Sie brachten ihn zu der kleinen Möwe, die zufrieden schlief, nachdem sie einen ganzen Calamar verspeist hatte, serviert von Secretario, der sich, den Anweisungen Colonellos folgend, um ihre Ernährung kümmerte. Hein Reling streckte eine Vorderpfote aus, untersuchte ihren Kopf und hob dann die Federchen an, die an ihrem Schwanz zu sprießen begannen. Die kleine Möwe schaute Zorbas verängstigt an.
»Bei den Zangen des Krebses! Das ist eine hübsche kleine Möwe, die eines Tages so viele Eier legen wird, wie ich Haare an meinem Schwanz habe«, miaute der Schiffskater vergnügt. Zorbas leckte der kleinen Möwe den Kopf. Er bereute es, die Mutter nicht nach ihrem Namen gefragt zu haben, denn wenn ihre Tochter dazu bestimmt war, den durch die Fahrlässigkeit der Menschen unterbrochenen Flug der Mutter wiederaufzunehmen, wäre es schön gewesen, wenn sie ihren Namen getragen hätte. »Angesichts der Tatsache, dass die kleine Möwe das Glück gehabt hat, unter unseren Schutz zu gelangen, schlage ich vor, sie ›Afortunada‹ zu nennen«, miaute Colonello. »Bei den Kiemen des Dorsches! Das ist ein hübscher Name! Er erinnert mich an einen tollen Schoner, den ich in der Ostsee gesehen habe. Er hieß genauso, ›Afortunada‹, und war ganz weiß«, freute sich Hein Reling.

»Ich bin sicher, dass sie irgendwann etwas Überragendes, etwas Außergewöhnliches leisten wird, und dann kommt ihr Name unter dem Buchstaben ›A‹ ins Lexikon«, versicherte Secretario. Alle waren mit dem Namen einverstanden. So bildeten dann die fünf Katzen einen Kreis um die Möwe, stellten sich auf die Hinterbeine, streckten ihre Vorderpfoten aus, bis die kleine Möwe unter einem Dach von Krallen saß, und miauten das Taufritual der Hafenkatzen.

»Wir grüßen dich, Afortunada, Freundin der Katzen!«

»Ahoi! Ahoi! Ahoi!«, miaute Hein Reling glücklich.

Kapitel 6: Afortunada im Glück

Unter der Fürsorge der Katzen wuchs Afortunada schnell heran. Nach einem Monat in Harry's Basar war aus ihr eine junge schlanke Möwe mit silbrig gesprenkeltem Gefieder geworden.

Wenn Touristen den Basar besuchten, blieb sie, den Anweisungen Colonellos folgend, ganz still zwischen den ausgestopften Vögeln sitzen und tat so, als gehöre sie dazu. Abends jedoch, wenn der Basar schloss und der alte Seebär nach Hause ging, spazierte sie mit ihrem schwingenden Gang eines Meeresvogels durch die Räume und bestaunte die tausend Dinge, die es dort gab, während der Schlaumeier immer wieder seine Bücher durchblätterte, um auf eine Methode zu stoßen, mit der Zorbas der Möwe das Fliegen beibringen konnte.

»Fliegen besteht darin, die Luft nach hinten und nach unten zu drücken. Aha, da haben wir schon einmal einen wichtigen Hinweis«, murmelte der Schlaumeier mit der Nase zwischen den Buchseiten.

»Warum soll ich denn überhaupt fliegen?«, krächzte

Afortunada und hielt ihre Flügel eng an den Körper gepresst.

»Weil du eine Möwe bist und weil Möwen fliegen. Ich finde es furchtbar, ganz furchtbar, dass du nicht fliegen kannst«, miaute der Schlaumeier.

»Aber ich will gar nicht fliegen. Ich will auch gar keine Möwe sein. Ich will eine Katze sein, und Katzen fliegen nicht«, krächzte Afortunada beleidigt.

Eines Tages kam sie bis zum Ausgang des Basars und hatte eine unangenehme Begegnung mit dem Schimpansen.

»He, du hässlicher Vogel, hier wird nicht hingekackt!«, kreischte Matias.

»Warum sprechen Sie so mit mir, Herr Affe?«, krächzte die Möwe verschüchtert.

»Das ist das Einzige, was Vögel können. Kacken. Und du bist ein Vogel«, antwortete der Schimpanse hochnäsig.

»Sie irren sich. Ich bin eine sehr saubere Katze. Ich benutze dieselbe Kiste wie der Schlaumeier«, krächzte Afortunada, bemüht, sich die Zuneigung des Affen zu erwerben.

»Ha, ha! Diese Bande von Läusesäcken hat dir eingeredet, du seist einer von ihnen. Sieh dich doch nur mal an: Du hast zwei Füße, und die Katzen haben vier. Du hast Federn,

und die Katzen haben ein Fell. Und was ist mit dem Schwanz, he? Wo hast du deinen Schwanz? Du bist genauso verrückt wie dieser Kater, der den lieben langen Tag nur in Büchern liest und ›furchtbar!, furchtbar!‹ miaut. Blöder Vogel! Soll ich dir mal sagen, warum deine Freunde sich so rührend um dich kümmern? Sie warten, bis du schön fett geworden bist und eine leckere Mahlzeit für sie abgibst. Dann werden sie dich samt Federn und allem auffressen«, kreischte der Schimpanse.

An jenem Abend wunderten sich die Katzen, dass die Möwe nicht erschien, um ihr Lieblingsessen mit ihnen einzunehmen: die Calamares, die Secretario aus der Restaurantküche abgezweigt hatte. Besorgt machten sie sich auf die Suche, und Zorbas fand sie traurig und mutlos zwischen den ausgestopften Vögeln.

»Hast du keinen Hunger, Afortunada? Es gibt Calamares«, miaute Zorbas.

Die Möwe tat den Schnabel nicht auf.

»Fühlst du dich nicht wohl? Bist du krank?«, miaute Zorbas besorgt.

»Soll ich essen, damit ich schön fett werde?«, krächzte die Möwe, ohne ihn anzuschauen.

»Damit du groß und stark wirst«, miaute Zorbas.

»Und wenn ich dick genug bin, ladet ihr dann auch die Ratten ein, mich zu fressen?«, krächzte

Afortunada mit Tränen in den Augen.

»Wie kommst du auf diesen Unsinn?«, miaute Zorbas ungehalten.

Mit zuckendem Schnabel und weinerlicher Stimme berichtete Afortunada, was Matias ihr gesagt hatte. Zorbas leckte ihr die Tränen ab und hörte sich plötzlich miauen, wie er noch nie zuvor miaut hatte.

»Du bist eine Möwe, da hat der Schimpanse recht, aber nur darin. Wir lieben dich, Afortunada. Und wir lieben dich, weil du eine Möwe bist, eine wunderschöne Möwe. Wir haben dir nicht widersprochen, als wir dich krächzen gehört haben, du seist eine Katze, weil es uns geschmeichelt hat, dass du so sein willst wie wir; aber du bist anders, und wir mögen es, dass du anders bist. Deiner Mutter konnten wir nicht mehr helfen, aber dir können wir helfen. Wir haben dich beschützt, seitdem du aus dem Ei gekrochen bist. Wir haben dir unsere ganze Zuneigung gegeben, ohne jemals daran zu denken, eine Katze aus dir zu machen. Wir lieben dich als Möwe. Wir fühlen, dass du uns ebenfalls liebhast, weil wir deine Freunde sind, deine Familie, und du sollst auch wissen, dass wir von dir etwas gelernt haben, das uns mit Stolz erfüllt: Durch dich haben wir gelernt, auch andere Arten von Lebewesen zu schätzen, zu respektieren und zu lieben. Es ist leicht, jemanden zu akzeptieren und zu lieben, der so ist wie wir, aber bei jemand anderem ist es sehr schwer, und du hast dazu beigetragen, dass wir es geschafft haben. Du bist eine Möwe und du musst deinem Schicksal als Möwe ins Auge sehen. Du musst fliegen lernen. Wenn du das erreicht hast, Afortunada, versichere ich dir, dass du glücklich sein wirst. Dann wird das, was du für uns empfindest und was wir für dich empfinden, noch intensiver und schöner sein, weil es eine Zuneigung zwischen völlig unterschiedlichen Tieren ist.«

»Ich habe aber Angst vorm Fliegen«, krächzte Afortunada und erhob sich.

»Wenn es so weit ist, werde ich bei dir sein. Das habe ich

deiner Mutter versprochen«, miaute Zorbas und leckte ihr über den Kopf.

Die junge Möwe und der große schwarze dicke Kater stiefelten los. Der Kater leckte ihr liebevoll den Kopf, und die Möwe legte ihm einen Flügel um die Schulter.

Kapitel 7: Fliegen lernen

»Bevor wir beginnen, gehen wir noch ein letztes Mal die technischen Einzelheiten durch«, miaute der Schlaumeier.

Vom obersten Brett eines Wandregals betrachteten Colonello, Secretario, Zorbas und Hein Reling aufmerksam, was unten vor sich ging. Dort stand Afortunada am Ende eines Ganges, den sie als Startbahn bezeichnet hatten, und der Schlaumeier stand am anderen Ende über Band 13, Buchstabe ›L‹ seines Lexikons gebeugt. Das Buch war auf der Seite des Namens Leonardo da Vinci aufgeschlagen, auf der ein seltsamer Apparat zu sehen war, den der große italienische Meister »Flugmaschine« genannt hatte.

»Zuerst wollen wir bitte die Stabilität der Haltepunkte ›a‹ und ›b‹ überprüfen«, miaute der Schlaumeier.

»Haltepunkte ›a‹ und ›b‹ überprüft«, krächzte Afortunada und hüpfte zuerst auf dem linken und dann auf dem rechten Bein.

»Perfekt. Jetzt müssen wir die Spannweite der Punkte ›c‹ und ›d‹ überprüfen«, fuhr der Schlaumeier fort, der sich so wichtig vorkam wie ein Ingenieur der nordamerikanischen Raumfahrtbehörde.

»Spannweite der Punkte ›c‹ und ›d‹ überprüft«, krächzte Afortunada gehorsam und wackelte mit beiden Flügeln.

»Perfekt! Und jetzt das Ganze noch einmal«, miaute der Schlaumeier.

»Beim Barte des Steinbutts! Lass sie endlich fliegen!«, miaute Hein Reling.

»Darf ich Sie daran erinnern, dass ich der verantwortliche Techniker des Fluges bin?«, entgegnete der Schlaumeier. »Alles muss seine Ordnung haben und genauestens überprüft werden, sonst kann das für Afortunada furchtbare Folgen haben. Furchtbare!«, miaute der Schlaumeier.

»Er hat recht. Er weiß schon, was er tut«, miaute Secretario.

»Genau das wollte ich gerade miauen. Wollen Sie

wohl endlich damit aufhören, mir das Miauen aus dem Mund zu nehmen?«, grummelte Colonello.

Dort unten stand Afortunada im Begriff, ihren ersten Flugversuch zu unternehmen, denn in der Woche zuvor waren zwei Dinge passiert, die den Katzen sagten, dass die Möwe fliegen lernen wollte, obwohl sie selbst ihren Wunsch gut zu verbergen gewusst hatte.

Eines Abends hatte Afortunada sie auf das Dach von Harry's Basar begleitet, um sich dort zu sonnen. Nachdem sie eine Stunde lang die letzten Sonnenstrahlen genossen hatten, erblickten sie über sich, sehr hoch über sich, drei Möwen in der Luft.

Sie waren herrlich und majestätisch anzusehen, wie sie sich gegen das Blau des Himmels abzeichneten. Manchmal schienen sie stillzustehen, unbeweglich mit ausgebreiteten Schwingen durch die Luft zu gleiten, doch dann reichte eine winzige Bewegung, und sie stießen so geschmeidig und elegant hinab, dass man neidisch werden konnte und große Lust bekam, dort oben bei ihnen zu sein. Mit einem Mal hörten die Katzen auf, in den Himmel zu starren, und richteten ihre Augen auf Afortunada. Die junge Möwe beobachtete den Flug ihrer Artgenossen und streckte dabei, ohne es zu merken, ihre Flügel aus.

»Seht euch das an. Sie will fliegen«, bemerkte Colonello.

»Ja. Es ist Zeit, dass sie fliegen lernt. Sie ist schon eine große starke Möwe«, miaute Zorbas.

»Afortunada. Flieg los! Versuch es!«, ermunterte sie Secretario.

Als sie das Miauen ihrer Freunde vernahm, faltete Afortunada ihre Flügel und kam zu ihnen. Sie legte sich neben Zorbas auf das Dach und machte mit ihrem Schnabel ein Geräusch, das sich wie das Schnurren der Katzen anhören sollte.

Das zweite Mal war am nächsten Tag gewesen, als die Katzen einer Geschichte von Hein Reling lauschten.

»… und wie ich schon miaut habe, die Wellen waren so hoch, dass wir die Küste nicht mehr sehen konnten, und – beim Tran des Pottwals! – zu allem Unglück war auch noch der Kompass kaputtgegangen. Fünf Tage und fünf Nächte trieben wir mitten in dem Sturm und wussten nicht, ob wir auf die Küste zuhielten oder aufs offene Meer hinaustrieben. Als wir schon jede Hoffnung aufgegeben hatten, erblickte der Steuermann den Möwenschwarm. War das eine Freude, meine Freunde! Wir hielten den Bug auf die Möwen und erreichten schließlich das Festland. Bei den Zähnen des Barrakudas! Die Möwen haben uns das Leben gerettet. Hätten wir sie nicht gesehen, stände ich jetzt nicht hier, um euch diese Geschichte zu miauen.«

Afortunada, die den Geschichten des Schiffskaters stets

aufmerksam lauschte, stand da und hörte mit aufgerissenen Augen zu.

»Möwen fliegen auch bei Sturm?«, krächzte sie.

»Bei den elektrischen Schlägen des Zitteraals!«, miaute Hein Reling. »Möwen sind die stärksten Vögel der Welt. Es gibt keinen Vogel, der besser fliegen kann als eine Möwe.«

Was der Schiffskater da miaute, drang tief in Afortunadas Herz. Sie tippte mit den Füßen auf den Boden, und ihr Schnabel zuckte aufgeregt.

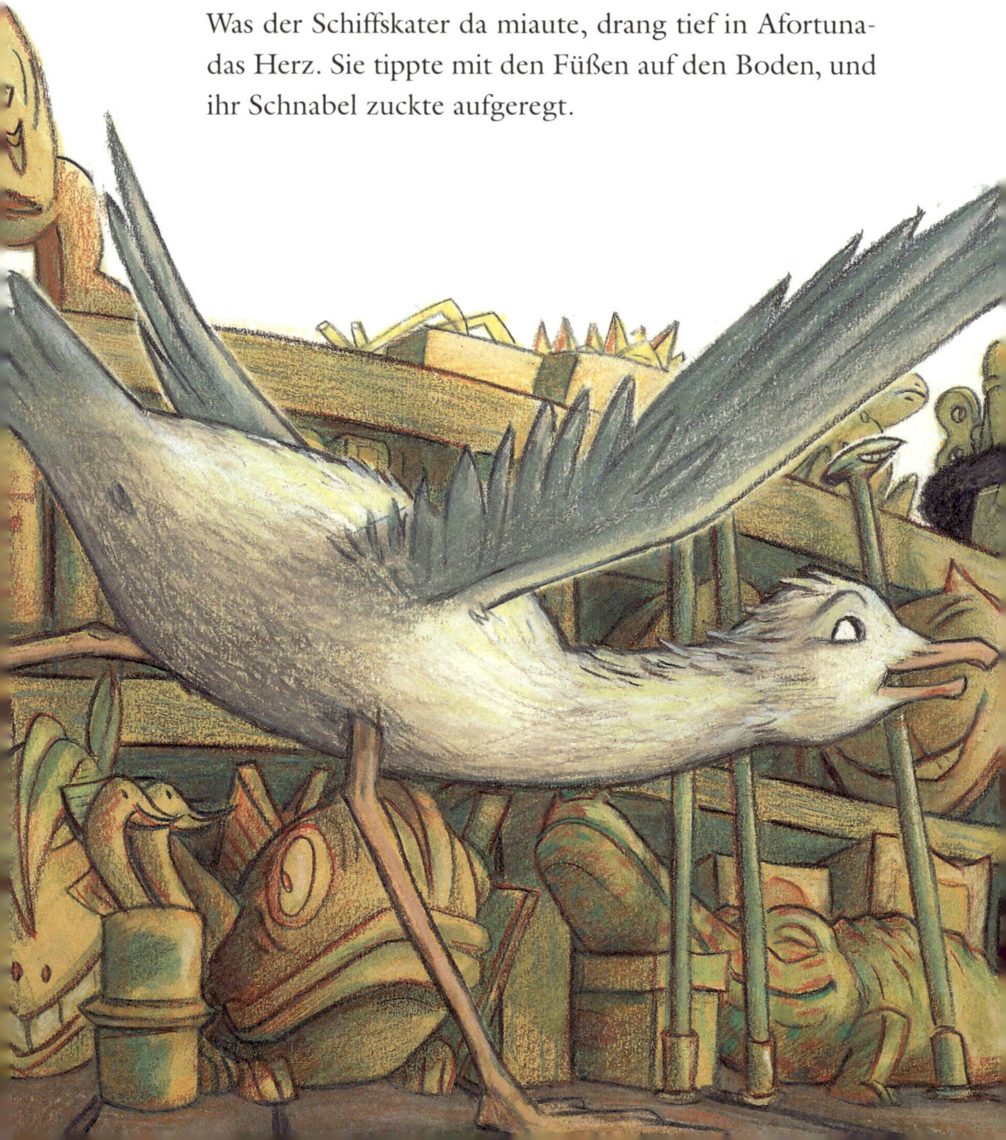

»Möchten Sie vielleicht fliegen, meine Dame?«, erkundigte sich Zorbas.

Afortunada schaute jeden einzeln an, bevor sie antwortete.

»Ja. Bitte zeigt mir, wie man fliegt.«

Die Katzen miauten vor Freude, und sogleich wurde Pfote an das Unternehmen gelegt. Auf diesen Augenblick hatten sie lange gewartet. Mit all der Geduld, die den Katzen eigen ist, hatten sie darauf gewartet, dass die junge Möwe ihnen mitteilte, sie wolle jetzt fliegen ler-

nen, denn eine uralte überlieferte Weisheit sagte ihnen, dass Fliegenlernen eine sehr persönliche Entscheidung ist. Am glücklichsten war der Schlaumeier, der die Grundlagen des Fliegens bereits in Band 13 unter dem Buchstaben ›L‹ entdeckt hatte und es daher übernahm, die Operation zu leiten.

»Fertig machen zum Start«, miaute der Schlaumeier.

»Fertig zum Start«, krächzte die Möwe.

»Laufen Sie über die Startbahn und drücken Sie mit den Haltepunkten ›a‹ und ›b‹ den Boden unter sich und nach hinten fort«, befahl der Schlaumeier.

Afortunada lief los, aber so langsam, als gleite sie auf schlecht geölten Rollen vorwärts.

»Geschwindigkeit erhöhen!«, befahl der Schlaumeier.

Die junge Möwe lief ein wenig schneller.

»Und jetzt die Punkte ›c‹ und ›d‹ ausbreiten«, miaute der Schlaumeier.

Afortunada breitete im Laufen die Flügel aus.

»Jetzt Punkt ›e‹ anheben!«, befahl der Schlaumeier.

Afortunada hob die Schwanzfedern an.

»Und jetzt die Punkte ›c‹ und ›d‹ auf und ab bewegen, dabei die Luft nach hinten drücken und gleichzeitig die Punkte ›a‹ und ›b‹ einziehen«, ordnete der Schlaumeier an.

Afortunada schlug mit den Flügeln, zog die Füße an den Leib, erhob sich ein paar Handbreit in die Luft und fiel dann wie ein Sack zu Boden.

Mit einem Satz sprangen die Katzen vom Wandregal und liefen zu ihr. Als sie bei ihr ankamen, sahen sie, dass ihr die Tränen in den Augen standen.
»Ich bin zu dumm dazu. Ich bin zu dumm«, krächzte die kleine Möwe untröstlich.
»Niemandem gelingt es beim ersten Versuch, aber du wirst es schaffen, das verspreche ich dir«, miaute Zorbas und leckte ihr über den Kopf.
Der Schlaumeier versuchte herauszufinden, wo der Fehler lag, und betrachtete Leonardos Flugapparat von allen Seiten.

Kapitel 8: Die Katzen brechen ein Tabu

Siebzehnmal versuchte Afortunada das Fliegen zu bewerkstelligen, und siebzehnmal landete sie auf dem Boden, nachdem sie sich ein paar Zentimeter in die Luft erhoben hatte.

Der Schlaumeier sah nach dem zwölften Fehlschlag ganz abgemagert aus, riss an seinen Schnurrbarthaaren und suchte mit zittrigem Miauen nach Entschuldigungen.

»Ich verstehe das nicht. Ich habe die ganze Theorie des Fliegens genau durchgelesen, ich habe alle Anleitungen Leonardos mit dem verglichen, was Band 1, Buchstabe ›A‹ meines Lexikons, über ›Aerodynamik‹ sagt, und trotzdem klappt es nicht. Es ist furchtbar! Furchtbar!«

Die Katzen akzeptierten seine Entschuldigungen, und ihre ganze Aufmerksamkeit richtete sich jetzt auf Afortunada, die nach jedem gescheiterten Versuch trauriger und mutloser geworden war.

Nach dem letzten Fehlschlag hatte Colonello entschieden, die Versuche abzubrechen, da seine Erfahrung ihm sagte, dass die Möwe allmählich ihr Selbstvertrauen ver-

lor, und das war sehr gefährlich, wenn man wirklich fliegen wollte.
»Vielleicht kann sie es einfach nicht. Vielleicht hat sie zu lange unter uns gelebt und die Fähigkeit zu fliegen verloren«, gab Secretario zu bedenken.
»Nach den technischen Anleitungen und nach den Gesetzen der Aerodynamik kann man fliegen. Vergesst nicht, dass das alles im Lexikon steht«, bemerkte der Schlaumeier.
»Beim Stachel des Rochen! Sie ist eine Möwe, und Möwen fliegen!«, rief Hein Reling.
»Sie muss fliegen. Ich habe es ihr und ihrer Mutter versprochen. Sie muss fliegen lernen«, miaute Zorbas.
»Und dieses Versprechen gilt für uns alle«, erinnerte sie Colonello.
»Geben wir zu, dass wir nicht in der Lage sind, ihr das Fliegen beizubringen, und dass wir Hilfe außerhalb der Katzenwelt suchen müssen«, miaute Zorbas.
»Miaue deutlich, Zorbas. Worauf willst du hinaus?«, miaute Colonello ernst.
»Ich bitte um die Erlaubnis, zum ersten und zum einzigen Mal in meinem Leben das Tabu zu brechen«, miaute Zorbas und schaute seinen Freunden in die Augen.
»Das Tabu brechen!«, miauten die Katzen, streckten ihre Krallen aus und machten ein Buckel.
In der Sprache der Menschen zu miauen ist tabu. So

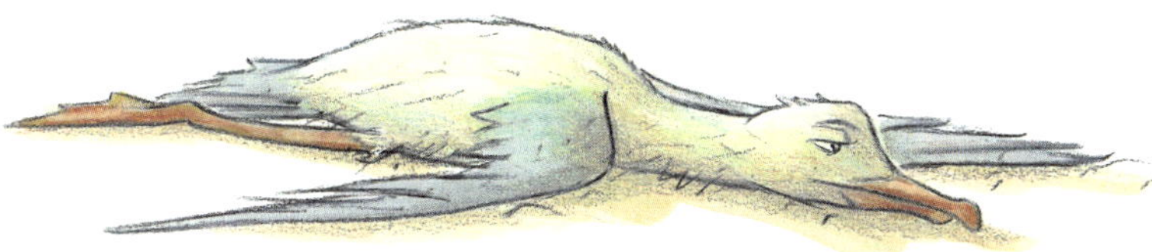

hieß es im Gesetz der Katzen; aber nicht, weil es sie nicht interessiert hätte, sich mit den Menschen zu unterhalten. Die große Gefahr bestand darin, wie die Menschen reagierten. Was würden sie mit einer sprechenden Katze machen? Gewiss würden sie sie in einen Käfig sperren und sie allen möglichen dummen Untersuchungen unterziehen, da die Menschen gewöhnlich unfähig sind zu erkennen, dass andere Wesen sich mit ihnen verständigen und sich verständlich machen wollen. Die Katzen kannten zum Beispiel das traurige

Schicksal der Delfine, die sich den Menschen gegenüber intelligent verhalten hatten und von diesen in den Delfinschauen zu lächerlichen Clowns gemacht worden waren. Sie wussten auch, wie die Menschen jedes Tier erniedrigten, das sich als intelligent und empfindsam erwies: die Löwen, die großen Katzen, zu einem Leben hinter Gittern gezwungen und dazu, dass irgendein Narr seinen Kopf in ihren Rachen steckte; die Papageien in Käfige gesperrt und unsinniges Zeug plappernd! In der Sprache der Menschen zu miauen war für die Katzen also nicht ungefährlich.

»Du bleibst bei Afortunada. Wir anderen ziehen uns zurück, um über deinen Antrag zu beraten«, miaute Colonello.

Lange Stunden berieten die Katzen hinter verschlossener Tür. Lange Stunden, in denen Zorbas neben der kleinen Möwe lag, die aus ihrer Traurigkeit darüber, nicht fliegen zu können, keinen Hehl machte.

Es war schon dunkel, als die Katzen ihre Beratung beendeten. Zorbas ging zu ihnen, um zu hören, wie sie sich entschieden hatten.

»Wir Hafenkatzen erlauben dir, das Tabu ein einziges Mal zu brechen. Du wirst mit nur einem Menschen miauen, aber wir werden gemeinsam beschließen, mit welchem«, miaute Colonello feierlich.

Kapitel 9: Die Wahl des Menschen

Es war nicht leicht zu entscheiden, mit welchem Menschen Zorbas miauen sollte. Die Katzen fertigten eine Liste von allen möglichen Menschen an, die sie kannten, und schlossen einen nach dem anderen aus.

»René, der Küchenchef, ist zweifellos ein gerechter und gütiger Mensch. Er legt uns immer etwas von seinen leckersten Gerichten zurück, die Secretario und ich jedes Mal mit Genuss verspeisen. Allerdings hat der gute René außer von Gewürzen und Kochtöpfen keine Ahnung, so dass er uns in diesem Fall keine große Hilfe sein wird«, miaute Colonello.

»Harry ist auch ein guter Mensch. Verständig und freundlich zu aller Welt, sogar zu Matias, dem er die furchtbarsten Streiche verzeiht, die furchtbarsten! Sogar in Patschuli hat er ihn baden lassen, diesem Parfüm, das so furchtbar riecht, furchtbar! Außerdem weiß er eine Menge über die Meere und über Navigation, aber vom Fliegen hat er, glaube ich, nicht die geringste Ahnung«, miaute der Schlaumeier.

»Carlo, der Oberkellner des Restaurants, behauptet, ich gehöre ihm, und ich lasse ihn in dem Glauben, weil er ein

netter Kerl ist. Leider versteht er nur was von Fußball, Basketball, Volleyball, Pferderennen, Boxen und von allen möglichen anderen Sportarten, aber vom Fliegen habe ich ihn noch nie reden hören«, miaute Secretario.
»Bei den Locken der Seeanemone! Mein Kapitän ist ein herzensguter Kerl, das könnt ihr schon daran sehen, dass er bei seiner letzten Hafenschlägerei gegen zwölf Typen antrat, die ihn beleidigt hatten und von denen er nur die Hälfte außer Gefecht setzte. Andererseits bekommt er schon Höhenangst, wenn er nur auf einen Stuhl klettert. Bei den Tentakeln des Tintenfisches! Ich glaube nicht, dass er uns eine große Hilfe sein wird«, miaute Hein Reling.
»Das Kind bei mir zu Hause würde mich verstehen, aber es ist in Ferien«, miaute Zorbas.
»Porca miseria! Damit ist die Liste zu Ende«, miaute Colonello.
»Nein. Es gibt da noch einen, der nicht auf der Liste steht. Der Mensch von Bubulina«, miaute Zorbas.
Bubulina war eine wunderschöne schwarzweiße Katze, die viele Stunden des Tages zwischen den Blumentöpfen auf ihrem Balkon verbrachte. Alle Kater des Hafens hatten die Angewohnheit, langsam an ihr vorbeizustreichen, ihre geschmeidigen Körper zur Schau zu stellen, den Glanz ihres sorgfältig geleckten Fells, die Länge ihrer Schnurrbarthaare und die Eleganz ihrer hochgereckten Schwänze, um sie damit zu beeindrucken, doch

auf Bubulina zeigte das keinerlei Wirkung; sie ließ sich nur von einem Menschen streicheln, der sich manchmal mit seiner Schreibmaschine auf den Balkon setzte.
Er war ein merkwürdiger Mensch, der manchmal lachte, wenn er las, was er geschrieben hatte, und andere Male die Blätter aus der Maschine riss und sie zerknüllte, ohne einen Blick darauf geworfen zu haben. Von seinem Balkon drang stets eine leise melancholische Musik, die Bubulina schläfrig machte und den vorbeischlendernden Katern tiefe Seufzer entlockte.

»Der Mensch von Bubulina? Warum der?«, miaute Colonello.

»Ich weiß nicht. Dieser Mensch flößt mir Vertrauen ein. Ich habe ihn lesen hören, was er geschrieben hat. Es sind wunderschöne Wörter, die einen freudig stimmen oder traurig machen, die man aber immer wieder gerne hört«, miaute Zorbas.

»Ein Dichter! Was dieser Mensch macht, nennt man Gedichte schreiben. Band 5, Buchstabe ›D‹ im Lexikon«, miaute der Schlaumeier.

»Und wie kommst du auf den Gedanken, dass dieser Mensch fliegen kann?«, wollte Secretario wissen.

»Er kann vielleicht nicht mit den Flügeln eines Vogels fliegen, aber wenn ich ihm zugehört habe, habe ich immer gedacht, er fliegt mit seinen Wörtern«, miaute Zorbas zurück.

»Wer damit einverstanden ist, dass Zorbas mit dem Menschen von Bubulina miaut, soll die rechte Pfote heben«, bestimmte Colonello.

Und so wurde Zorbas ermächtigt, mit dem Dichter zu miauen.

Kapitel 10: Eine Katze, ein Kater und ein Dichter

Zorbas machte sich über die Dächer auf den Weg zum Balkon des erwählten Menschen. Als er Bubulina sich zwischen den Blumentöpfen räkeln sah, seufzte er, bevor er miaute:

»Hab keine Angst, Bubulina. Ich bin hier oben.«

»Was willst du? Wer bist du?«, miaute die Katze erschrocken zurück.

»Bitte, geh nicht fort. Ich heiße Zorbas und wohne

ganz in der Nähe. Ich brauche deine Hilfe. Kann ich herunterkommen?«

Die Katze nickte. Zorbas sprang auf den Balkon und setzte sich auf seine Hinterpfoten. Bubulina kam zu ihm und beschnüffelte ihn.

»Du riechst nach Büchern, nach Moder, nach alten Kleidern und nach Staub, aber dein Fell ist sehr sauber«, miaute die Katze zufrieden.

»Das sind die Gerüche aus Harry's Basar. Wundere dich nicht, wenn ich auch nach Schimpanse rieche«, miaute Zorbas.

Eine leise Musik wehte über den Balkon.

»Die Musik ist sehr schön«, bemerkte Zorbas.

»Vivaldi. Die vier Jahreszeiten. Was willst du von mir?«, wollte Bubulina wissen.

»Dass du mich bittest hereinzukommen und dass du mich deinem Menschen vorstellst«, miaute Zorbas.

»Unmöglich. Er arbeitet, und niemand – nicht einmal ich – darf ihn stören«, antwortete die Katze.

»Bitte, es ist wirklich dringend. Ich bitte dich im Namen aller Hafenkatzen«, miaute Zorbas flehentlich.

»Warum willst du ihn denn sehen?«, miaute Bubulina misstrauisch.

»Ich habe etwas mit ihm zu miauen«, antwortete Zorbas entschlossen.
»Aber das ist verboten! Verschwinde sofort von hier!«, miaute Bubulina mit gesträubtem Fell.
»Nein. Und wenn du mich nicht hereinbitten willst, dann soll er herauskommen. Magst du Rockmusik, mein Kätzchen?«
Drinnen klapperte der Mensch auf seiner Schreibmaschine. Er war glücklich, weil er gerade ein Gedicht zu Ende brachte und ihm die Verse wie von allein aus seinem Kopf in die Tasten der Schreibmaschine flossen.

Plötzlich vernahm er vom Balkon ein Miauen, das nicht von seiner Bubulina stammte. Es war ein ausgesprochen schräges Miauen, das aber doch einen gewissen Rhythmus besaß. Halb unwillig und halb neugierig ging er zum Balkon und musste sich erst einmal die Augen reiben, um glauben zu können, was er dort sah.

Bubulina hatte ihre Vorderpfoten über den Kopf gelegt und hielt sich die Ohren zu; ihr gegenüber saß ein großer schwarzer dicker Kater an einen Blumentopf gelehnt, hielt sein Schwanzende mit einer Vorderpfote hoch, als handle es sich um einen Kontrabass, während er mit der anderen an den imaginären Saiten zupfte und dabei nervtötend miaute.

Als er sich von der ersten Überraschung erholt hatte, musste der Mensch laut loslachen, und während er sich noch vor Lachen krümmte und sich auf die Schenkel schlug, schlüpfte Zorbas schnell ins Haus.

Als der Mensch, noch immer lachend, wieder hereinkam, sah er den großen schwarzen dicken Kater auf einem Sessel sitzen.

»Ein Wahnsinnskonzert, mein Lieber. Du bist ein sehr einfallsreicher Verführer, aber ich fürchte, Bubulina mag deine Musik nicht besonders. Wirklich, ein Wahnsinnskonzert!«, sagte der Mensch.

»Mein Gesang könnte besser sein. Aber niemand ist

vollkommen«, antwortete Zorbas in der Sprache der Menschen.
Der Mensch riss den Mund auf, schlug sich mit der Hand vor den Kopf und lehnte sich gegen die Wand.
»Du …, du …, du sprichst«, rief er aus.
»Du sprichst auch und ich wundere mich nicht darüber. Bitte, beruhige dich«, empfahl Zorbas.
»Ei… ein Ka… Kater, der spricht«, stammelte der Mensch und ließ sich in sein Sofa fallen.
»Ich spreche nicht, ich miaue in deiner Sprache. Ich kann auch in anderen Sprachen miauen«, erwiderte Zorbas.
Der Mensch fuhr sich mit den Händen an den Kopf und presste sie auf seine Augen, wobei er murmelte: »Das ist

die Erschöpfung, das ist die Erschöpfung. Ich arbeite zu viel.« Als er die Hände von seinen Augen nahm, saß der große schwarze dicke Kater immer noch in dem Sessel.

»Das ist eine Halluzination. Du bist eine Halluzination, stimmt's?«, fragte der Mensch.

»Nein. Ich bin ein richtiger Kater und ich miaue mit dir. Wir Hafenkatzen haben dich unter vielen Menschen ausgewählt, uns bei einem großen Problem zu helfen. Du bist keineswegs verrückt. Ich bin aus Fleisch und Blut«, sagte Zorbas.

»Und du sagst, du kannst in verschiedenen Sprachen miauen?«, fragte der Mensch.

»Ja. Willst du einen Beweis?«, fragte Zorbas.

»Buon giorno«, sagte der Mensch.

»Es ist schon Nachmittag. Wir sagen besser buona sera«, entgegnete Zorbas.

»Kalimera«, versuchte es der Mensch weiter.

»Kalispera. Ich sagte doch, es ist schon Nachmittag«, berichtigte ihn Zorbas.

»Doberdan!«, rief der Mensch ungläubig.

»Dobreutra. Glaubst du mir jetzt?«, wollte Zorbas wissen.

»Ja. Und wenn das alles nur ein Traum ist, was macht das schon? Er gefällt mir und ich will ihn weiterträumen«, antwortete der Mensch.

»Kann ich jetzt zur Sache kommen?«, fragte Zorbas.

Der Mensch nickte, bat ihn aber, das Gesprächsritual

der Menschen zu respektieren; er servierte ihm ein Schüsselchen Milch und setzte sich selbst mit einem Glas Cognac auf das Sofa.

»Dann miau mal, Kater«, sagte der Mensch, und Zorbas erzählte ihm die Geschichte von der Möwe, dem Ei, von Afortunada und den vergeblichen Versuchen, ihr das Fliegen beizubringen.

»Kannst du uns helfen?«, fragte Zorbas, als er mit seinem Bericht zu Ende war.

»Ich glaube schon. Und zwar in dieser Nacht noch«, sagte der Mensch.

»In dieser Nacht noch? Bist du sicher?«, forschte Zorbas.

»Schau mal durchs Fenster, Kater, betrachte den Himmel. Was siehst du da?«, fragte der Mensch.
»Wolken. Schwarze Wolken. Ein Gewitter zieht herauf, und es wird bald regnen«, stellte Zorbas fest.
»Eben darum«, sagte der Mensch.
»Tut mir leid, aber ich weiß nicht, was du meinst«, erwiderte Zorbas.
Da ging der Mensch zu seinem Schreibtisch, nahm ein Buch herunter und blätterte darin.
»Hör zu, Kater. Ich will dir etwas von einem Dichter namens Bernardo Atxaga vorlesen. Es sind Verse aus einem Gedicht, das ›Die Möwen‹ heißt:

Ihr kleines Herz jedoch
– das Herz der Hochseilakrobaten –
sehnt sich nach nichts so sehr
wie nach diesem dummen Regen,
denn der Regen bringt fast immer den Wind
bringt fast immer Sonne.«

»Schon verstanden. Ich wusste, dass du uns helfen kannst«, rief Zorbas und sprang von dem Sessel.
Sie vereinbarten, sich um Mitternacht vor der Tür des Basars zu treffen, und der große schwarze dicke Kater lief davon, um seine Gefährten zu benachrichtigen.

Kapitel 11: Fliegen

Es regnete in Strömen, und aus den Gärten stieg der Geruch von feuchter Erde auf. Der Asphalt der Straßen glänzte, und die Neonreklamen spiegelten sich verzerrt auf dem nassen Belag. Ein Mann im Regenmantel ging durch eine einsame Straße in Richtung Harry's Basar.

»Auf keinen Fall! Und wenn ihr mir eure fünfzig Krallen in den Hintern schlagt; ich kann euch die Tür nicht öffnen«, kreischte der Schimpanse.

»Aber wir haben doch gar nicht vor, dir Böses zu tun. Wir bitten dich nur um einen Gefallen«, miaute Zorbas.

»Die Öffnungszeit ist von neun Uhr morgens bis sechs Uhr abends. So ist die Vorschrift, und daran wird sich gehalten«, kreischte Matias.

»Beim Barte des Walrosses! Kannst du nicht einmal in deinem Leben freundlich sein, du Affe?«, miaute Hein Reling.

»Bitte, Herr Affe«, krächzte Afortunada flehend.

»Unmöglich! Die Vorschrift verbietet mir, die Hand auszustrecken und den Riegel zurückzuschieben, den ihr Flohsäcke nicht öffnen könnt, weil ihr keine Finger habt«, kreischte Matias und grinste gemein.

»Du bist ein furchtbarer Affe, ganz furchtbar!«, miaute der Schlaumeier.

»Draußen steht ein Mensch und schaut auf die Uhr«, miaute Secretario, der aus dem Fenster spähte.

»Das ist der Dichter. Wir haben keine Zeit zu verlieren!«, rief Zorbas und nahm einen gewaltigen Anlauf in Richtung Fenster.

Die Glocken der St.-Michaelis-Kirche begannen die zwölf mitternächtlichen Stunden zu schlagen, als der Mensch bei dem Geräusch von splitterndem Glas zusammenfuhr. Der große schwarze dicke Kater landete in einem Regen von Glassplittern auf der Straße, erhob sich jedoch sofort wieder, ohne sich um die Verletzungen an seinem Kopf zu kümmern, und sprang erneut zum Fenster, durch das er gekommen war.

Der Mensch trat im gleichen Augenblick hinzu, als eine Möwe von mehreren Katzen auf das Fensterbrett gehoben wurde. Hinter den Katzen sah er einen Schimpansen, der sich mit den Händen über das Gesicht fuhr und versuchte, sich die Augen, die Ohren und den Mund gleichzeitig zuzuhalten.

»Hier, nimm sie. Damit sie sich nicht an den Glassplittern verletzt!«, miaute Zorbas.

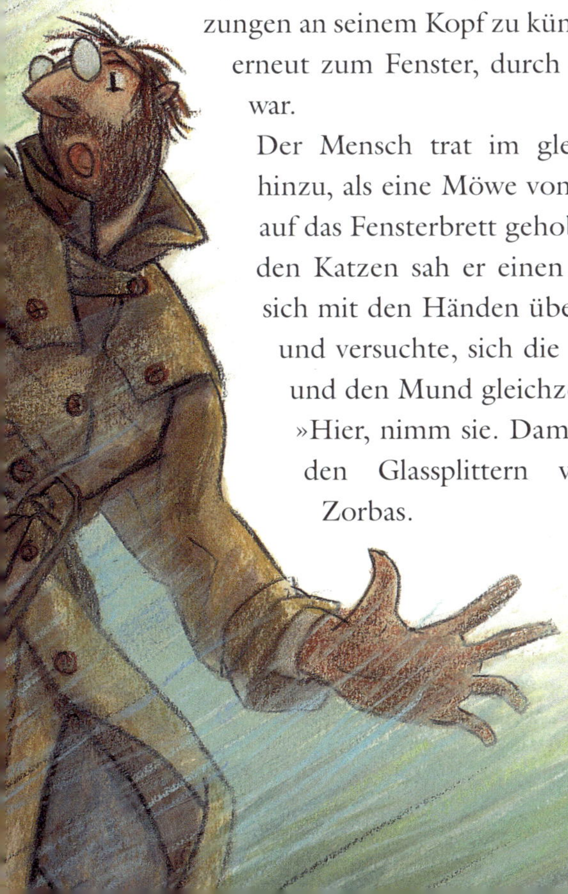

»Kommt her, ihr beiden«, sagte der Mensch und nahm sie in seine Arme.
Der Mensch entfernte sich mit hastigen Schritten von Harry's Basar. Unter seinem Regenmantel trug er einen großen schwarzen dicken Kater und eine Möwe mit silbernem Gefieder.
»Ihr Lumpen! Banditen! Dafür werdet ihr bezahlen!«, kreischte der Schimpanse.
»Du hast es nicht anders gewollt. Und weißt du, was Harry denken wird? Dass du die Fensterscheibe zerbrochen hast«, miaute Secretario.
»Ei, verdammt; diesmal haben Sie mir aber genau das richtige Miauen aus dem Mund genommen«, miaute Colonello.
»Beim Rachen der Muräne! Alle Kater aufs Dach! Wir werden unsere Afortunada fliegen sehen!«, miaute Hein Reling.
Der große schwarze dicke Kater und die Möwe hatten es sehr bequem unter dem Regenmantel, sie fühlten die Körperwärme des Menschen, der mit raschen sicheren Schritten dahinging. Sie hörten ihre drei Herzen in unterschiedlichem Rhythmus, doch mit derselben Heftigkeit pochen.
»Kater, bist du verletzt?«, fragte der Mensch, als er ein paar Blutflecken auf seinem Regenmantel bemerkte.
»Nichts Schlimmes. Wohin gehen wir?«, fragte Zorbas.
»Kannst du den Menschen verstehen?«, krächzte Afor-

tunada. »Ja. Er ist ein guter Mensch und er wird dir helfen, fliegen zu lernen«, miaute Zorbas.

»Kannst du verstehen, was die Möwe krächzt?«, fragte der Mensch.

»Sag mir, wohin wir gehen«, beharrte Zorbas.

»Wir gehen nirgendwohin, wir sind da«, antwortete der Mensch.

Zorbas lugte hinaus. Sie standen vor einem hohen Gebäude. Er hob den Blick und erkannte den von mehreren Scheinwerfern angestrahlten Turm der St.-Michaelis-Kirche. Die Lichtstrahlen hoben deutlich seine schlanke Konstruktion hervor, gedeckt mit Kupferplatten, die die Zeit und die Witterung mit einer grünen Patina überzogen hatten.

»Die Türen sind verschlossen«, bemerkte Zorbas.

»Nicht alle. Ich komme in Gewitternächten manchmal her, um in Ruhe eine Zigarette zu rauchen

und nachzudenken. Ich kenne einen Eingang, den wir benutzen können«, sagte der Mensch.
Sie umrundeten die Kirche und traten durch eine kleine Seitentür ein, die der Mensch mit Hilfe seines Taschenmessers öffnete. Er zog eine Taschenlampe hervor, und in ihrem schmalen Lichtkegel begannen sie eine Wendeltreppe hinaufzusteigen, die kein Ende zu nehmen schien.
»Ich habe Angst«, krächzte Afortunada.
»Aber du willst fliegen, stimmt's?«, miaute Zorbas.
Vom Glockenturm des Michel hatten sie einen Blick über die ganze Stadt. Der Regen hüllte den Fernsehturm ein, und die Kräne im Hafen sahen aus wie ruhende Tiere.
»Schau mal, dahinten kann man Harry's Basar sehen. Da sind unsere Freunde«, miaute Zorbas.
»Ich habe Angst! Mama!«, krächzte Afortunada.
Zorbas sprang auf das Geländer, das den Glockenturm sicherte. Unten bewegten sich die Autos wie Insekten mit leuchtenden Augen. Der Mensch nahm die Möwe in seine Hände.
»Nein! Ich habe Angst! Zorbas! Zorbas!«, krächzte die Möwe und pickte dem Menschen in die Finger.
»Warte. Setze sie auf das Geländer«, miaute Zorbas.

»Ich hatte nicht die Absicht, sie hinunterzuwerfen«, sagte der Mensch.
»Du wirst fliegen, Afortunada. Atme tief durch. Fühle den Regen. Es ist Wasser. Du wirst in deinem Leben viele Gründe finden, um glücklich zu sein; einer dieser Gründe heißt Wasser, ein anderer heißt Wind und wieder ein anderer heißt Sonne, die Sonne kommt immer als Belohnung nach dem Regen. Fühle den Regen. Öffne deine Flügel«, miaute Zorbas.
Die Möwe breitete ihre Schwingen aus. Die Scheinwerfer tauchten sie in helles Licht, und der Regen fiel wie Perlen auf ihr Gefieder. Der Mensch und der Kater sahen, wie sie mit geschlossenen Augen den Kopf vorstreckte.
»Regen, Wasser. Gefällt mir«, krächzte sie.
»Du wirst fliegen«, miaute Zorbas.
»Ich liebe dich. Du bist sehr gut zu mir«, krächzte die Möwe und näherte sich dem Rand des Geländers.
»Du wirst fliegen. Der ganze Himmel gehört dir«, miaute Zorbas.
»Ich werde dich nie vergessen. Und auch die anderen Katzen nicht«, krächzte die Möwe, mit der Hälfte ihrer Füße bereits über dem Abgrund, denn, wie es in dem Gedicht von Atxaga hieß, ihr kleines Herz war das der Artisten auf dem Hochseil.
»Flieg los!«, miaute Zorbas, streckte eine Pfote aus und berührte sie ganz sacht.

Afortunada entschwand ihren Blicken, und sowohl der Mensch als auch Zorbas fürchteten das Schlimmste. Wie ein Stein war die Möwe hinuntergefallen. Mit angehaltenem Atem beugten sich die beiden über das Geländer, und dann sahen sie die junge Möwe; mit heftig schlagenden Flügeln flatterte sie über den Parkplatz, danach sahen sie Afortunada an Höhe gewinnen, über die goldene Wetterfahne hinwegfliegen, die die einzigartige Schönheit von St. Michaelis krönte.

Afortunada flog einsam durch die Hamburgische Nacht. Mit kraftvollen Flügelschlägen flog sie über die Kräne im Hafen und über die Schiffsmasten dahin und dann kehrte sie wieder um, schwebte im Gleitflug um den Turm der Kirche.

»Ich fliege! Zorbas! Ich kann fliegen!«, krächzte sie begeistert aus der endlosen Weite des grauen Himmels.

Der Mensch kraulte den Rücken des Katers.

»Nun, mein guter Kater, das hätten wir geschafft«, sagte er mit einem Seufzer.

»Ja, am Rand des Abgrunds hat sie ihre wichtigste Lektion gelernt«, miaute Zorbas.

»Ach ja? Und was war das für eine Lektion?«, wollte der Mensch wissen.

»Dass nur der fliegt, der sich zu fliegen traut«, miaute Zorbas.

»Ich nehme an, im Moment störe ich nur. Ich warte unten auf dich«, verabschiedete sich der Mensch.

Zorbas blieb oben und betrachtete die Möwe, bis er nicht mehr wusste, ob es die Regentropfen oder Tränen waren, die seine Augen feucht werden ließen; die gelben Augen eines großen schwarzen dicken Katers, eines guten Katers, eines edlen Katers, die Augen eines Katers aus dem Hamburger Hafen.

Laufenburg, Schwarzwald, 1996